D1495875

la peur
des requins

Gant armé de dents
de requin (îles Kiribati,
Pacifique Ouest)

Deux copépodes se fixant
sur les nageoires des requins

Raie

Ange de mer

Moulage d'un mâle
de grand requin
blanc

Deux jeunes roussettes

Coup-de-poing
américain des
premiers habitants
des îles Hawaii
(Pacifique Centre)

la peur
des requins

par

Miranda MacQuitty

Photographies originales
de Frank Greenaway et Dave King

Dent fossile
d'un mégalodon

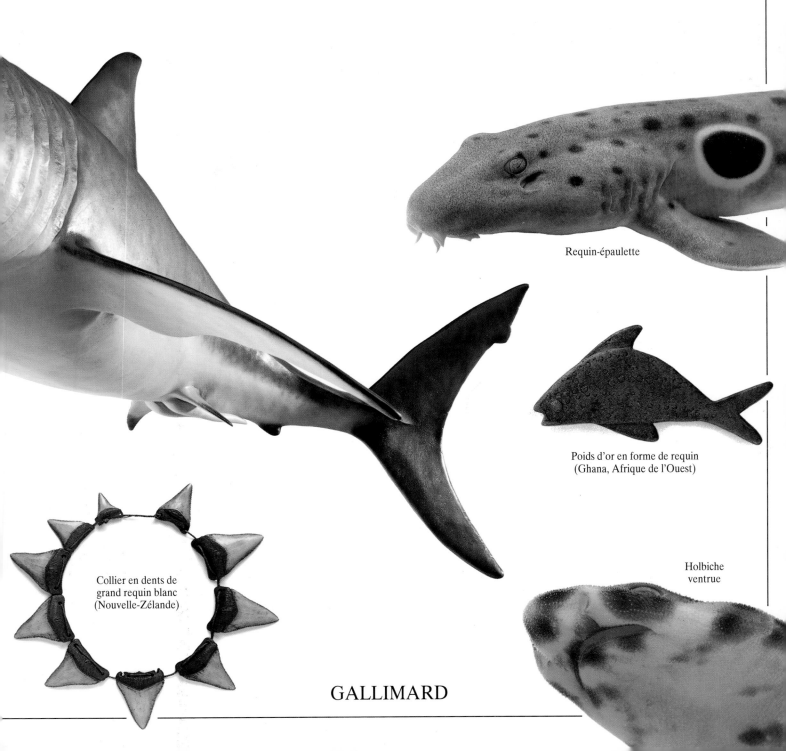

Requin-épaulette

Poids d'or en forme de requin
(Ghana, Afrique de l'Ouest)

Collier en dents de
grand requin blanc
(Nouvelle-Zélande)

Holbiche
ventrue

GALLIMARD

Requin
de Port
Jackson

Deux émissoles
tachetées

Dent
fossile de
Ptychodus

Comité éditorial

Londres :

Louise Barratt, Marion Dent, Julia Harris,
Helen Parker, Jill Plank, Suzanne Williams
et Graham High, Jeremy Hunt, Geoffrey Waller
et Sea Life Centres (G.-B.)

Paris :

Christine Baker, Françoise Favez,
Manne Héron et Jacques Marziou

Edition française préparée par
Marie-Louise Bauchot,
Muséum national d'histoire naturelle

Publié sous la direction de

Peter Kindersley,
Jean-Olivier Héron
et
Pierre Marchand

Requin-léopard

Longue sagaie pour
harponner les requins
(îles Nicobar, Inde)

Crécelle de noix
de coco pour attirer
les requins (îles Samoa,
Pacifique Sud)

Poignard dans son
fourreau en peau
de requin utilisé
par la tribu des
Ashanti
(Ghana,
Afrique de
l'Ouest)

ISBN 2-07-056759-1
La conception de cette collection est le fruit d'une collaboration
entre les Editions Gallimard et Dorling Kindersley.
© Dorling Kindersley Limited, Londres 1992
© Editions Gallimard, Paris 1992, pour l'édition française
Loi n° 49-956 du 16 juillet 1949
sur les publications destinées à la jeunesse
1er dépôt légal : octobre 1992
Dépôt légal : décembre 1996. N° d'édition : 78985
Imprimé à Singapour

SOMMAIRE

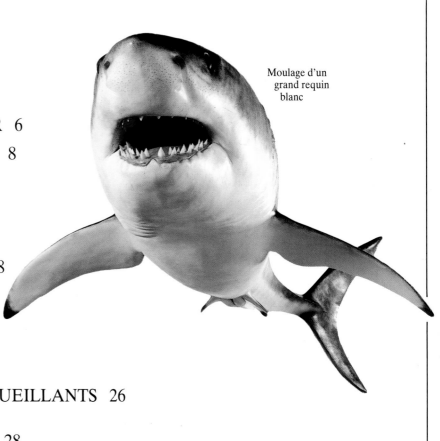

Moulage d'un grand requin blanc

CES POISSONS QUI NOUS FONT PEUR

Museau pointu, dents acérées, regard fixe, les requins inspirent souvent de la crainte. Pourtant, s'ils sont d'habiles prédateurs, ils ne s'attaquent que rarement à l'homme. Les 375 espèces de requins appartiennent à la classe des Chondrichthyens, poissons à squelette interne cartilagineux. La moitié d'entre elles n'atteint pas un mètre de long, mais les écarts peuvent être considérables, du sagre-elfe qui mesure vingt centimètres au requin-baleine de douze mètres ou plus. Les morphologies présentent la même diversité : corps fuselé chez le requin-tisserand, aplati chez l'ange de mer ou long et souple chez le requin-chabot. Tous sont marins, quelques-uns seulement pénétrant en eau douce.

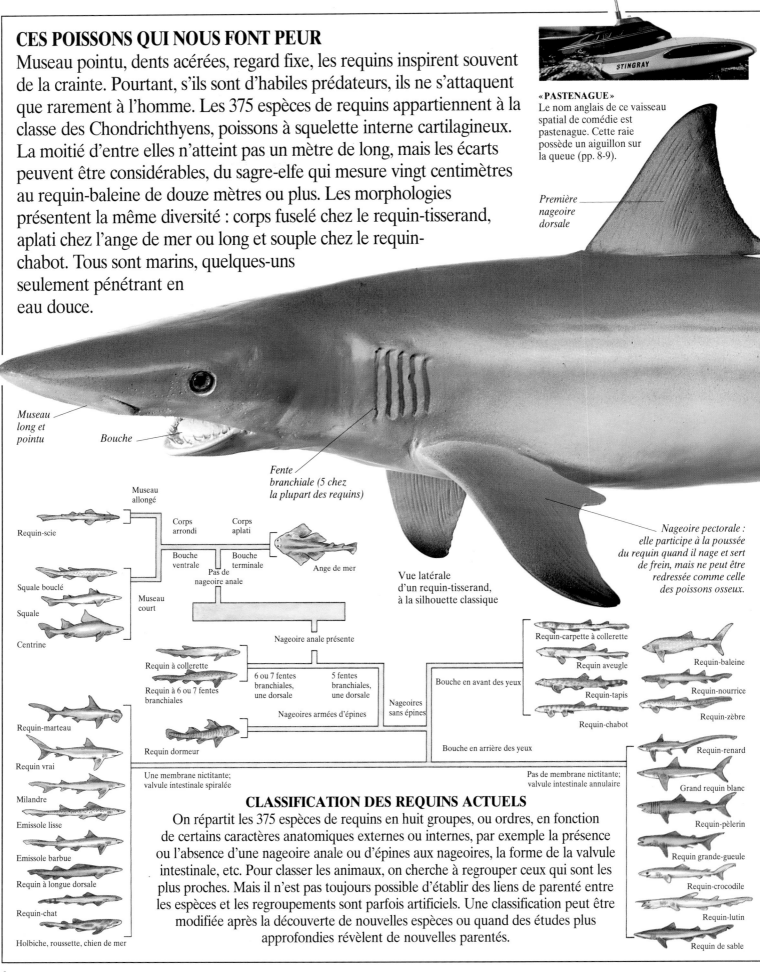

« PASTENAGUE »
Le nom anglais de ce vaisseau spatial de comédie est pastenague. Cette raie possède un aiguillon sur la queue (pp. 8-9).

Première nageoire dorsale

Museau long et pointu

Bouche

Fente branchiale (5 chez la plupart des requins)

Nageoire pectorale : elle participe à la poussée du requin quand il nage et sert de frein, mais ne peut être redressée comme celle des poissons osseux.

Vue latérale d'un requin-tisserand, à la silhouette classique

Requin-scie

Museau allongé

Corps arrondi

Corps aplati

Bouche ventrale

Bouche terminale

Ange de mer

Squale bouclé

Squale

Museau court

Pas de nageoire anale

Centrine

Nageoire anale présente

Requin à collerette

Requin à 6 ou 7 fentes branchiales

6 ou 7 fentes branchiales, une dorsale

5 fentes branchiales, une dorsale

Nageoires armées d'épines

Nageoires sans épines

Nageoires armées d'épines

Bouche en avant des yeux

Requin-carpette à collerette

Requin aveugle

Requin-baleine

Requin-tapis

Requin-nourrice

Requin-chabot

Requin-zèbre

Requin-marteau

Requin vrai

Milandre

Emissole lisse

Emissole barbue

Requin à longue dorsale

Requin-chat

Requin dormeur

Holbiche, roussette, chien de mer

Une membrane nictitante; valvule intestinale spiralée

Bouche en arrière des yeux

Pas de membrane nictitante; valvule intestinale annulaire

Requin-renard

Grand requin blanc

Requin-pèlerin

Requin grande-gueule

Requin-crocodile

Requin-lutin

Requin de sable

CLASSIFICATION DES REQUINS ACTUELS

On répartit les 375 espèces de requins en huit groupes, ou ordres, en fonction de certains caractères anatomiques externes ou internes, par exemple la présence ou l'absence d'une nageoire anale ou d'épines aux nageoires, la forme de la valvule intestinale, etc. Pour classer les animaux, on cherche à regrouper ceux qui sont les plus proches. Mais il n'est pas toujours possible d'établir des liens de parenté entre les espèces et les regroupements sont parfois artificiels. Une classification peut être modifiée après la découverte de nouvelles espèces ou quand des études plus approfondies révèlent de nouvelles parentés.

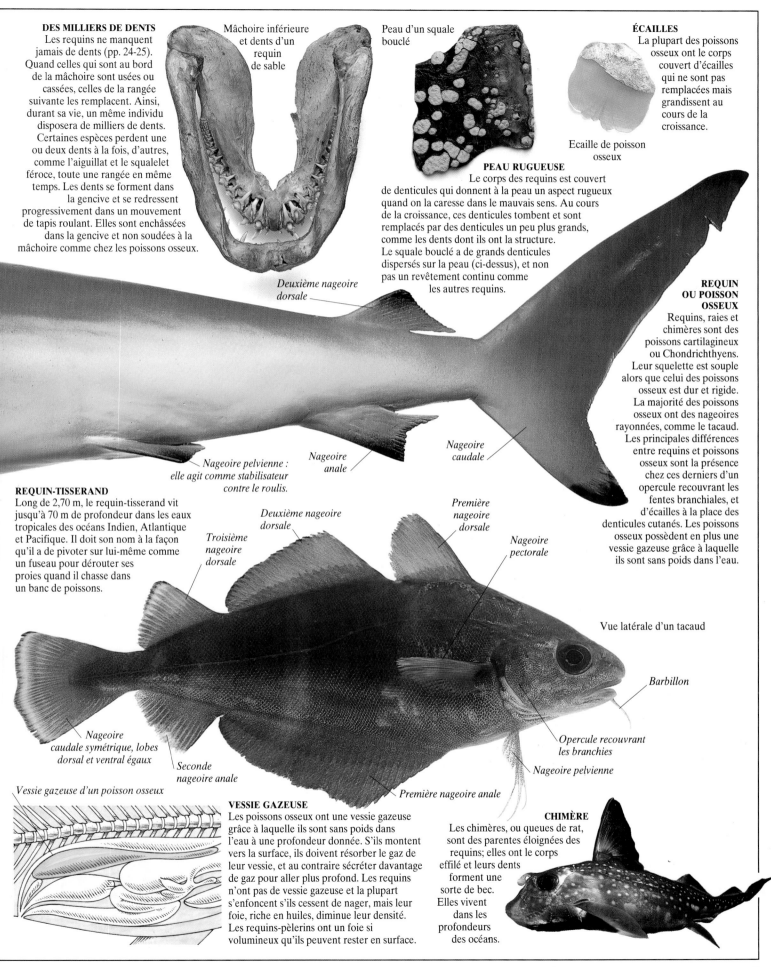

DES MILLIERS DE DENTS
Les requins ne manquent jamais de dents (pp. 24-25). Quand celles qui sont au bord de la mâchoire sont usées ou cassées, celles de la rangée suivante les remplacent. Ainsi, durant sa vie, un même individu disposera de milliers de dents. Certaines espèces perdent une ou deux dents à la fois, d'autres, comme l'aiguillat et le squalelet féroce, toute une rangée en même temps. Les dents se forment dans la gencive et se redressent progressivement dans un mouvement de tapis roulant. Elles sont enchâssées dans la gencive et non soudées à la mâchoire comme chez les poissons osseux.

Mâchoire inférieure et dents d'un requin de sable

Peau d'un squale bouclé

ÉCAILLES
La plupart des poissons osseux ont le corps couvert d'écailles qui ne sont pas remplacées mais grandissent au cours de la croissance.

Ecaille de poisson osseux

PEAU RUGUEUSE
Le corps des requins est couvert de denticules qui donnent à la peau un aspect rugueux quand on la caresse dans le mauvais sens. Au cours de la croissance, ces denticules tombent et sont remplacés par des denticules un peu plus grands, comme les dents dont ils ont la structure. Le squale bouclé a de grands denticules dispersés sur la peau (ci-dessus), et non pas un revêtement continu comme les autres requins.

Deuxième nageoire dorsale

REQUIN OU POISSON OSSEUX
Requins, raies et chimères sont des poissons cartilagineux ou Chondrichthyens. Leur squelette est souple alors que celui des poissons osseux est dur et rigide. La majorité des poissons osseux ont des nageoires rayonnées, comme le tacaud. Les principales différences entre requins et poissons osseux sont la présence chez ces derniers d'un opercule recouvrant les fentes branchiales, et d'écailles à la place des denticules cutanés. Les poissons osseux possèdent en plus une vessie gazeuse grâce à laquelle ils sont sans poids dans l'eau.

Nageoire pelvienne : elle agit comme stabilisateur contre le roulis.

Nageoire anale

Nageoire caudale

REQUIN-TISSERAND
Long de 2,70 m, le requin-tisserand vit jusqu'à 70 m de profondeur dans les eaux tropicales des océans Indien, Atlantique et Pacifique. Il doit son nom à la façon qu'il a de pivoter sur lui-même comme un fuseau pour dérouter ses proies quand il chasse dans un banc de poissons.

Deuxième nageoire dorsale

Première nageoire dorsale

Troisième nageoire dorsale

Nageoire pectorale

Vue latérale d'un tacaud

Barbillon

Nageoire caudale symétrique, lobes dorsal et ventral égaux

Seconde nageoire anale

Opercule recouvrant les branchies

Nageoire pelvienne

Première nageoire anale

Vessie gazeuse d'un poisson osseux

VESSIE GAZEUSE
Les poissons osseux ont une vessie gazeuse grâce à laquelle ils sont sans poids dans l'eau à une profondeur donnée. S'ils montent vers la surface, ils doivent résorber le gaz de leur vessie, et au contraire sécréter davantage de gaz pour aller plus profond. Les requins n'ont pas de vessie gazeuse et la plupart s'enfoncent s'ils cessent de nager, mais leur foie, riche en huiles, diminue leur densité. Les requins-pèlerins ont un foie si volumineux qu'ils peuvent rester en surface.

CHIMÈRE
Les chimères, ou queues de rat, sont des parentes éloignées des requins; elles ont le corps effilé et leurs dents forment une sorte de bec. Elles vivent dans les profondeurs des océans.

LES PROCHES PARENTS DU REQUIN

La raie mante qui nage en faisant onduler ses « ailes » ne ressemble en rien à un requin fuselé. Pourtant, les raies et leurs cousins, poissons-guitares et poissons-scies, appartiennent, comme les requins, à la sous-classe des élasmobranches. Ils ont un squelette cartilagineux flexible et des fentes branchiales non recouvertes par un opercule, contrairement à celles des chimères et des poissons osseux (pp. 6-7). Les raies possèdent de grandes nageoires pectorales soudées à la tête et au tronc et leurs fentes branchiales s'ouvrent sur la face ventrale. La plupart d'entre elles vivent sur le fond et se nourrissent de coquillages, de vers et d'autres poissons.

UNE RAIE GÉANTE
La mante, ou diable de mer, aux immenses nageoires pectorales, peut atteindre 7 m d'envergure. Ce magnifique spécimen femelle, pêché au large de la côte est des Etats-Unis, pesait 1 300 kg. Poisson inoffensif, la mante filtre l'eau pour se nourrir de petits animaux planctoniques qu'elle dirige vers sa bouche au moyen de ses deux longues cornes céphaliques.

Raie

Rangée d'épines, ou boucles, dont la taille croît de la tête à la queue

Raie lisse

Raie douce

TACHES DE NAISSANCE
La face dorsale des raies présente des colorations variées, excellent camouflage qui les dissimule à la vue des prédateurs, alors que leur face ventrale est généralement blanche. Les taches de la raie lisse ponctuent toute la face dorsale, tandis que celles de la raie douce n'atteignent pas le bord des nageoires pectorales.

Seconde nageoire dorsale

Première nageoire dorsale

Raie mêlée

Les boucles dorsales sont une bonne protection contre les prédateurs.

La raie bouclée, souvent consommée, est deux fois plus petite que la raie-pocheteau qui peut atteindre 2 m de long.

Poisson-guitare

UN AIR DE FAMILLE
Les poissons-guitares (50 espèces) et les poissons-scies (6 espèces) sont de proches parents des raies. Les poissons-guitares vivent dans la plupart des mers chaudes, tandis que les poissons-scies peuplent également lacs et rivières. Ces derniers ressemblent beaucoup aux requins-scies, mais n'ont pas leurs deux longs barbillons sous le rostre, et leurs fentes branchiales sont ventrales, et non latérales comme chez les requins. Tous deux utilisent leur scie en cas d'attaque, les poissons-scies s'en servant aussi pour frapper leurs proies.

BÉBÉ RAIE
Cette raie douce, âgée d'un mois, devra attendre 8 ans avant de pouvoir se reproduire.

Poisson-scie

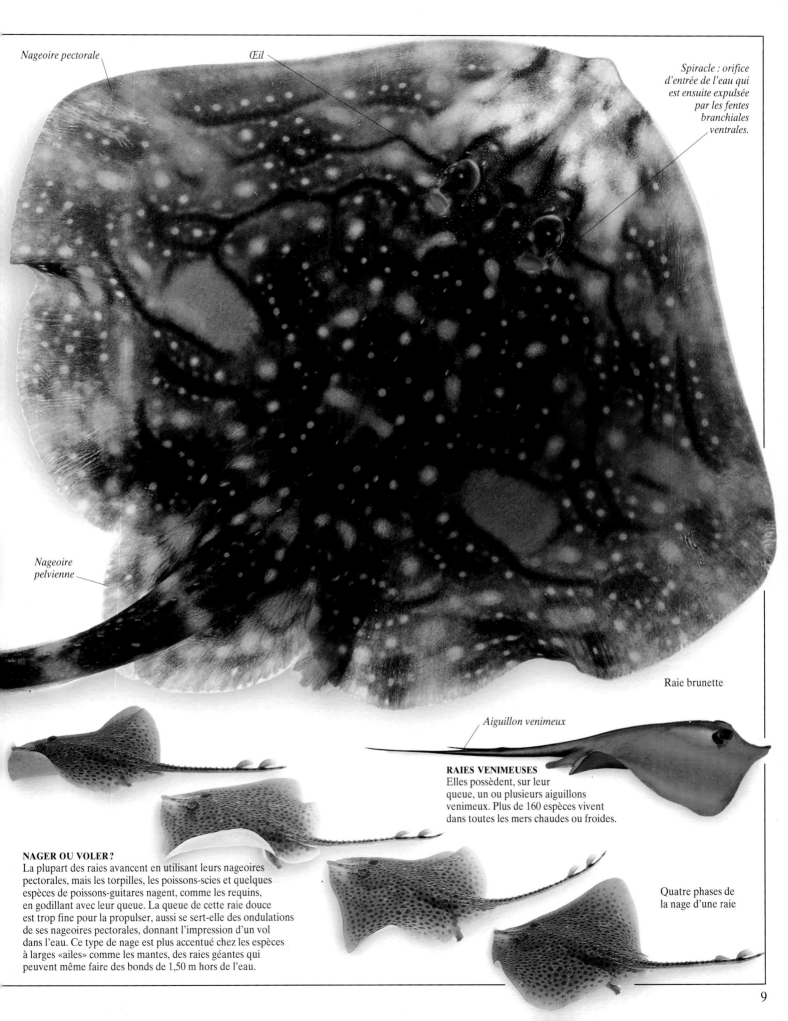

Nageoire pectorale

Œil

Spiracle : orifice d'entrée de l'eau qui est ensuite expulsée par les fentes branchiales ventrales.

Nageoire pelvienne

Raie brunette

Aiguillon venimeux

RAIES VENIMEUSES
Elles possèdent, sur leur queue, un ou plusieurs aiguillons venimeux. Plus de 160 espèces vivent dans toutes les mers chaudes ou froides.

NAGER OU VOLER ?
La plupart des raies avancent en utilisant leurs nageoires pectorales, mais les torpilles, les poissons-scies et quelques espèces de poissons-guitares nagent, comme les requins, en godillant avec leur queue. La queue de cette raie douce est trop fine pour la propulser, aussi se sert-elle des ondulations de ses nageoires pectorales, donnant l'impression d'un vol dans l'eau. Ce type de nage est plus accentué chez les espèces à larges «ailes» comme les mantes, des raies géantes qui peuvent même faire des bonds de 1,50 m hors de l'eau.

Quatre phases de la nage d'une raie

DANS LE VENTRE D'UN REQUIN

Ce moulage d'une coupe de requin-tisserand montre les organes vitaux communs à toutes les espèces. Pour assurer la respiration, les branchies absorbent l'oxygène de l'eau et rejettent le gaz carbonique ; ces gaz sont transportés par le sang que le cœur, agissant comme une pompe, envoie dans tout le corps. Le sang fournit oxygène et aliments et élimine gaz carbonique et autres déchets. La nourriture passe de la bouche, via le pharynx, à l'estomac où commence la digestion, puis dans l'intestin où se fait l'absorption. Les aliments digérés sont transformés dans le foie volumineux qui accroît la flottabilité du requin. Quant aux résidus de la digestion, ils sont rassemblés dans le cloaque avant d'être expulsés. Les reins se chargent d'éliminer les déchets déversés par les organes dans le sang. Squelette et peau servent de support aux muscles puissants qui lui permettent de nager ; les mouvements sont coordonnés par l'encéphale grâce aux messages sensoriels ou moteurs transmis le long de la moelle épinière. Enfin, la fonction de reproduction est assurée par les femelles, qui produisent des ovocytes dans leurs ovaires, et par les mâles dont les testicules fournissent des spermatozoïdes. Quand le sperme féconde un ovocyte, une nouvelle vie commence.

ATTENTION, DANGER
On a vu des requins attaquer des personnes tombées à l'eau, comme ce parachutiste australien.

Les reins éliminent les déchets dus à la transformation des aliments dans les tissus.

Glande rectale éliminant l'excès de sels du corps par l'ouverture cloacale

Moulage d'une coupe de requin-tisserand faisant apparaître son anatomie

Valvule intestinale annulaire (spirale chez d'autres espèces)

Lobe gauche du foie volumineux

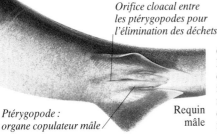

Orifice cloacal entre les ptérygopodes pour l'élimination des déchets

Ptérygopode : organe copulateur mâle

Requin mâle

Requin femelle (pas de ptérygopodes)

Cloaque : orifice commun pour la reproduction et l'élimination des déchets

COUPLE
La fécondation des requins est interne. Les requins mâles ont une paire de ptérygopodes formés aux dépens d'une partie de leur nageoire pelvienne. Pendant l'accouplement, un des ptérygopodes, redressé vers l'avant, pénètre dans l'orifice cloacal de la femelle et le sperme s'écoule dans un sillon.

Segments musculaires (myotomes) se contractant alternativement et provoquant un mouvement ondulatoire du corps, de la tête à la queue

UNE QUEUE SOLIDE
La colonne vertébrale des requins se prolonge dans le lobe supérieur de la nageoire caudale. Ce type de caudale, dit hétérocerque, s'oppose à celui de la plupart des poissons osseux chez lesquels le lobe supérieur ne contient pas de prolongement de la colonne vertébrale. Des baguettes cartilagineuses et des filaments dermiques (actinotriches) soutiennent la caudale du requin.

Nageoire caudale

Colonne vertébrale

Baguettes cartilagineuses

Filaments dermiques (actinotriches)

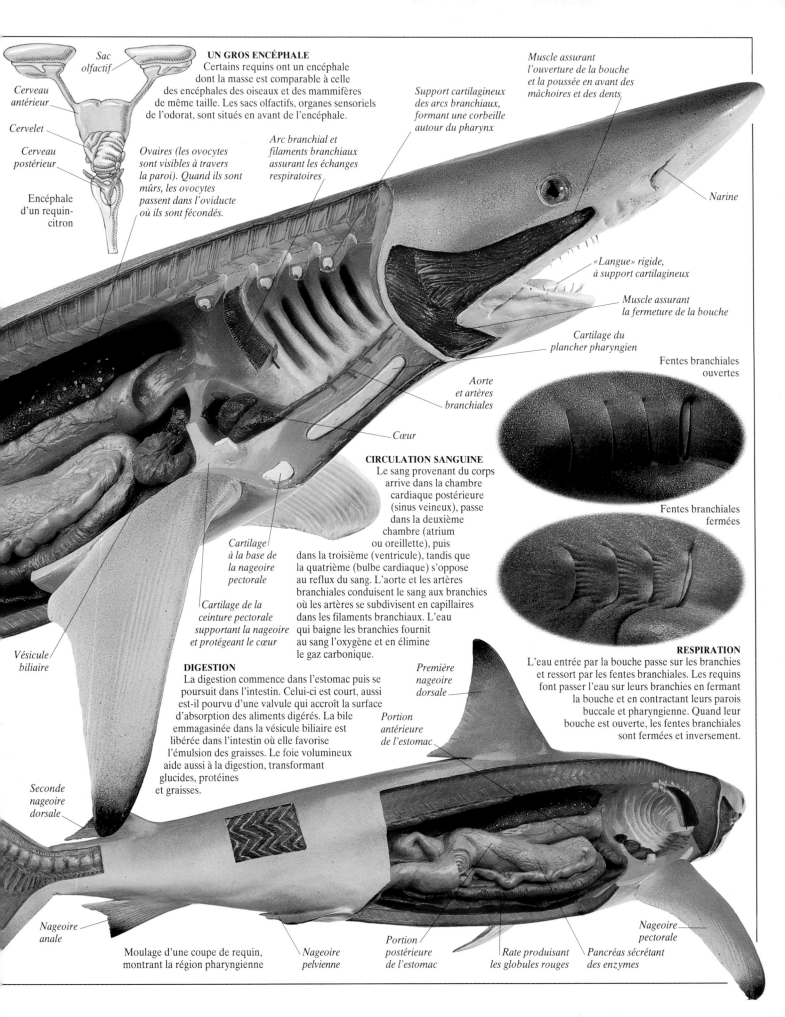

UN GROS ENCÉPHALE
Certains requins ont un encéphale
dont la masse est comparable à celle
des encéphales des oiseaux et des mammifères
de même taille. Les sacs olfactifs, organes sensoriels
de l'odorat, sont situés en avant de l'encéphale.

*Sac
olfactif*

*Cerveau
antérieur*

Cervelet

*Cerveau
postérieur*

Encéphale
d'un requin-
citron

*Ovaires (les ovocytes
sont visibles à travers
la paroi). Quand ils sont
mûrs, les ovocytes
passent dans l'oviducte
où ils sont fécondés.*

*Arc branchial et
filaments branchiaux
assurant les échanges
respiratoires*

*Support cartilagineux
des arcs branchiaux,
formant une corbeille
autour du pharynx*

*Muscle assurant
l'ouverture de la bouche
et la poussée en avant des
mâchoires et des dents*

Narine

*«Langue» rigide,
à support cartilagineux*

*Muscle assurant
la fermeture de la bouche*

*Cartilage du
plancher pharyngien*

*Aorte
et artères
branchiales*

Cœur

Fentes branchiales
ouvertes

Fentes branchiales
fermées

CIRCULATION SANGUINE
Le sang provenant du corps
arrive dans la chambre
cardiaque postérieure
(sinus veineux), passe
dans la deuxième
chambre (atrium
ou oreillette), puis
dans la troisième (ventricule), tandis que
la quatrième (bulbe cardiaque) s'oppose
au reflux du sang. L'aorte et les artères
branchiales conduisent le sang aux branchies
où les artères se subdivisent en capillaires
dans les filaments branchiaux. L'eau
qui baigne les branchies fournit
au sang l'oxygène et en élimine
le gaz carbonique.

*Cartilage
à la base de
la nageoire
pectorale*

*Cartilage de la
ceinture pectorale
supportant la nageoire
et protégeant le cœur*

*Vésicule
biliaire*

DIGESTION
La digestion commence dans l'estomac puis se
poursuit dans l'intestin. Celui-ci est court, aussi
est-il pourvu d'une valvule qui accroît la surface
d'absorption des aliments digérés. La bile
emmagasinée dans la vésicule biliaire est
libérée dans l'intestin où elle favorise
l'émulsion des graisses. Le foie volumineux
aide aussi à la digestion, transformant
glucides, protéines
et graisses.

RESPIRATION
L'eau entrée par la bouche passe sur les branchies
et ressort par les fentes branchiales. Les requins
font passer l'eau sur leurs branchies en fermant
la bouche et en contractant leurs parois
buccale et pharyngienne. Quand leur
bouche est ouverte, les fentes branchiales
sont fermées et inversement.

*Première
nageoire
dorsale*

*Portion
antérieure
de l'estomac*

*Seconde
nageoire
dorsale*

*Nageoire
anale*

Moulage d'une coupe de requin,
montrant la région pharyngienne

*Nageoire
pelvienne*

*Portion
postérieure
de l'estomac*

*Rate produisant
les globules rouges*

*Pancréas sécrétant
des enzymes*

*Nageoire
pectorale*

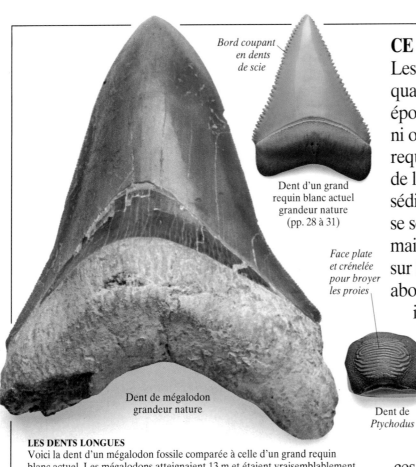

Bord coupant en dents de scie

Dent d'un grand requin blanc actuel grandeur nature (pp. 28 à 31)

Face plate et crénelée pour broyer les proies

Dent de *Ptychodus*

Dent de mégalodon grandeur nature

CE QUE DISENT LES FOSSILES

Les premiers requins apparurent il y a quatre cents millions d'années. À cette époque, il n'y avait encore ni reptiles, ni oiseaux, ni mammifères. Les restes de ces requins se sont fossilisés quand, tombés sur le fond de la mer, ils ont été recouverts de sable et d'autres sédiments. Les parties dures, épines ou dents, se sont mieux conservées que les tissus mous, mais, parfois, seules ont subsisté des empreintes sur les roches. Les dents des requins fossiles sont abondantes parce que, comme leurs descendants, ils en perdaient des milliers au cours de leur vie. En revanche, leur squelette, fait de cartilage, a moins bien résisté que celui des poissons osseux. On trouve les fossiles de requins dans des terrains qui étaient immergés en ces temps préhistoriques.

Les spécialistes datent ces restes d'après les roches qui les renferment. Si les requins les plus anciens ont disparu, les descendants de plusieurs groupes datant d'environ deux cents millions d'années, comme les requins dormeurs, les holbiches, les chiens de mer, les roussettes et les requins grisets, existent encore aujourd'hui.

LES DENTS LONGUES
Voici la dent d'un mégalodon fossile comparée à celle d'un grand requin blanc actuel. Les mégalodons atteignaient 13 m et étaient vraisemblablement de redoutables prédateurs dans les mers qu'ils parcouraient il y a 15 millions d'années. Ils devaient prélever d'énormes morceaux de chair comme le font les grands requins blancs actuels. La dent à petites crêtes est celle d'un *Ptychodus* datant de 120 millions d'années. Il se nourrissait probablement de coquillages qu'il broyait entre ses dents. Ce groupe de requins fossiles a disparu en même temps que les dinosaures, il y a environ 65 millions d'années.

TOUJOURS JEUNE
Tout à fait semblable à ses cousines actuelles, les holbiches mouchetées, ce jeune requin, fossilisé dans une roche du Liban, est mort il y a 65 millions d'années.

Nageoire caudale en demi-lune comme celle d'un requin-taupe bleu : le lobe supérieur contient la colonne vertébrale.

La seconde nageoire dorsale devait avoir une courte épine antérieure.

La première nageoire dorsale, relativement petite, avait aussi une épine antérieure.

«CLADOSELACHE»
Ce moulage montre à quoi devait ressembler *Cladoselache*, un des requins les plus anciens que l'on connaisse. Long de près de 2 m, il vivait il y a près de 360 millions d'années. Sa queue était puissante comme celle d'un requin-taupe bleu, ce qui devait lui permettre de nager très vite, mais ses nageoires pectorales, plus larges que celles des requins actuels, le rendaient probablement moins agile. Il poursuivait et attrapait des poissons osseux dont certains se sont fossilisés dans son estomac. Contrairement à la plupart des requins actuels, *Cladoselache* avait la bouche à l'extrémité du museau.

La nageoire pelvienne manque sur ce moulage; elle devait être triangulaire, à base large.

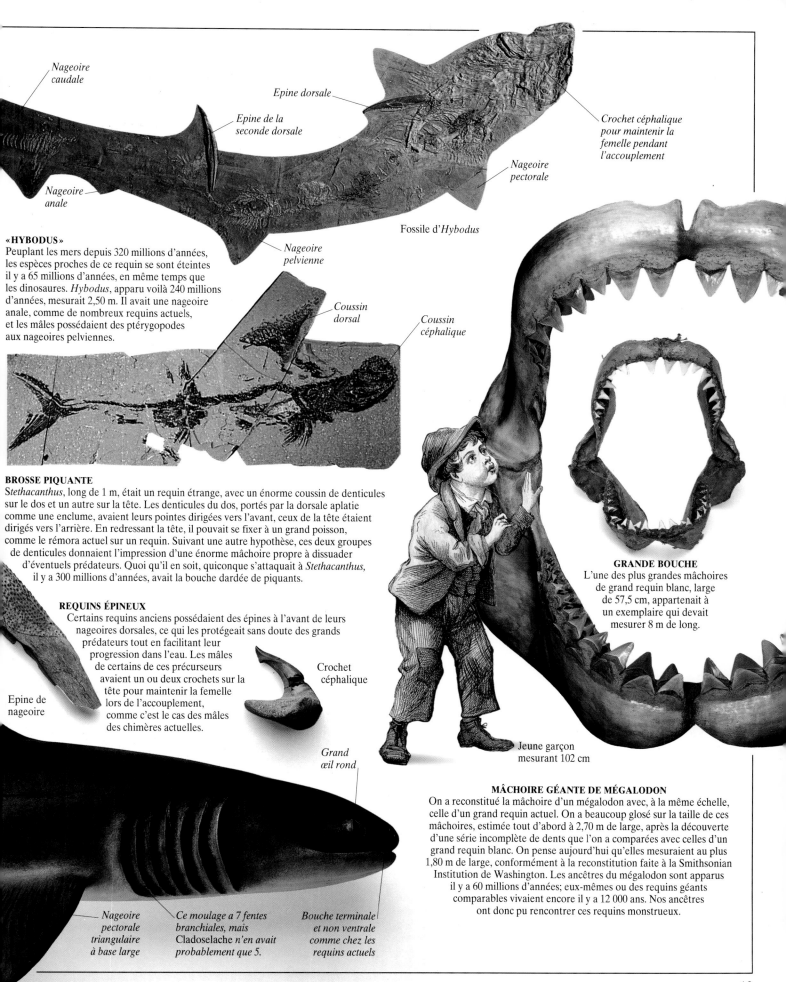

Nageoire
caudale

Epine dorsale

Epine de la
seconde dorsale

Crochet céphalique
pour maintenir la
femelle pendant
l'accouplement

Nageoire
pectorale

Nageoire
anale

Fossile d'*Hybodus*

Nageoire
pelvienne

«HYBODUS»

Peuplant les mers depuis 320 millions d'années, les espèces proches de ce requin se sont éteintes il y a 65 millions d'années, en même temps que les dinosaures. *Hybodus*, apparu voilà 240 millions d'années, mesurait 2,50 m. Il avait une nageoire anale, comme de nombreux requins actuels, et les mâles possédaient des ptérygopodes aux nageoires pelviennes.

Coussin
dorsal

Coussin
céphalique

BROSSE PIQUANTE

Stethacanthus, long de 1 m, était un requin étrange, avec un énorme coussin de denticules sur le dos et un autre sur la tête. Les denticules du dos, portés par la dorsale aplatie comme une enclume, avaient leurs pointes dirigées vers l'avant, ceux de la tête étaient dirigés vers l'arrière. En redressant la tête, il pouvait se fixer à un grand poisson, comme le rémora actuel sur un requin. Suivant une autre hypothèse, ces deux groupes de denticules donnaient l'impression d'une énorme mâchoire propre à dissuader d'éventuels prédateurs. Quoi qu'il en soit, quiconque s'attaquait à *Stethacanthus*, il y a 300 millions d'années, avait la bouche dardée de piquants.

REQUINS ÉPINEUX

Certains requins anciens possédaient des épines à l'avant de leurs nageoires dorsales, ce qui les protégeait sans doute des grands prédateurs tout en facilitant leur progression dans l'eau. Les mâles de certains de ces précurseurs avaient un ou deux crochets sur la tête pour maintenir la femelle lors de l'accouplement, comme c'est le cas des mâles des chimères actuelles.

Crochet
céphalique

Epine de
nageoire

Grand
œil rond

GRANDE BOUCHE

L'une des plus grandes mâchoires de grand requin blanc, large de 57,5 cm, appartenait à un exemplaire qui devait mesurer 8 m de long.

Jeune garçon
mesurant 102 cm

Nageoire
pectorale
triangulaire
à base large

Ce moulage a 7 fentes
branchiales, mais
Cladoselache n'en avait
probablement que 5.

Bouche terminale
et non ventrale
comme chez les
requins actuels

MÂCHOIRE GÉANTE DE MÉGALODON

On a reconstitué la mâchoire d'un mégalodon avec, à la même échelle, celle d'un grand requin actuel. On a beaucoup glosé sur la taille de ces mâchoires, estimée tout d'abord à 2,70 m de large, après la découverte d'une série incomplète de dents que l'on a comparées avec celles d'un grand requin blanc. On pense aujourd'hui qu'elles mesuraient au plus 1,80 m de large, conformément à la reconstitution faite à la Smithsonian Institution de Washington. Les ancêtres du mégalodon sont apparus il y a 60 millions d'années; eux-mêmes ou des requins géants comparables vivaient encore il y a 12 000 ans. Nos ancêtres ont donc pu rencontrer ces requins monstrueux.

ILS NAGENT AVEC GRÂCE

Les requins nagent majestueusement à l'aide des mouvements latéraux de leur queue. Leurs nageoires pectorales écartées créent, au contact de l'eau, une poussée suffisante pour les empêcher de sombrer. Cette poussée, associée à celle que fournit le lobe supérieur de la nageoire caudale, leur permet de se maintenir à l'horizontale. Grâce à la modification de l'angle d'attaque de leurs nageoires, moins souples que celles des poissons osseux, les requins ajustent leurs déplacements vers le haut, le bas, la droite ou la gauche. Ils freinent au moyen de leurs pectorales. Ces dernières, du fait de leur insertion oblique, ne leur permettent pas de nager à reculons ou de «planer» dans l'eau comme les autres poissons. Les espèces des fonds marins, comme les requins-épaulettes et les requins dormeurs (pp. 40-41), utilisent également leurs nageoires pectorales pour se mouvoir sur le substrat. À l'inverse des poissons osseux, les requins n'ont pas de vessie gazeuse et ne peuvent pas flotter passivement, mais leur foie, riche en huiles (pp. 10-11), diminue leur densité dans l'eau.

LES TROIS GRÂCES
Dans la mythologie grecque, ces trois filles de Zeus étaient les divinités de la beauté.

ONDULATIONS
Pendant la nage, le corps du requin est animé d'ondulations sinusoïdales. La queue se courbe davantage que le tronc et pousse le corps en avant.

ÉMISSOLE TACHETÉE
Les denticules cutanés (p. 7) alignés longitudinalement piègent l'eau, ce qui diminue la turbulence au contact de la peau, et par conséquent la traînée (résistance à l'avancement). La nage est alors facilitée.

VITESSE DE CROISIÈRE
Les nageoires pectorales écartées, l'émissole tachetée (à droite) maintient sa vitesse grâce à la poussée de sa nageoire caudale. Les deux nageoires dorsales s'opposent au roulis.

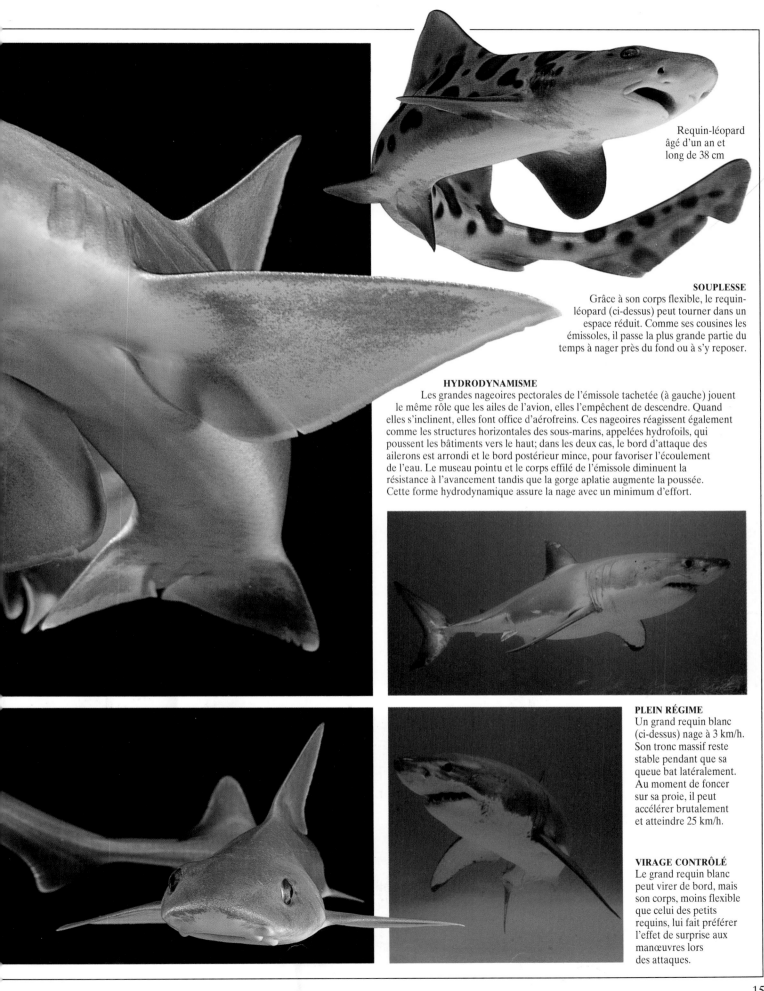

Requin-léopard
âgé d'un an et
long de 38 cm

SOUPLESSE

Grâce à son corps flexible, le requin-léopard (ci-dessus) peut tourner dans un espace réduit. Comme ses cousines les émissoles, il passe la plus grande partie du temps à nager près du fond ou à s'y reposer.

HYDRODYNAMISME

Les grandes nageoires pectorales de l'émissole tachetée (à gauche) jouent le même rôle que les ailes de l'avion, elles l'empêchent de descendre. Quand elles s'inclinent, elles font office d'aérofreins. Ces nageoires réagissent également comme les structures horizontales des sous-marins, appelées hydrofoils, qui poussent les bâtiments vers le haut; dans les deux cas, le bord d'attaque des ailerons est arrondi et le bord postérieur mince, pour favoriser l'écoulement de l'eau. Le museau pointu et le corps effilé de l'émissole diminuent la résistance à l'avancement tandis que la gorge aplatie augmente la poussée. Cette forme hydrodynamique assure la nage avec un minimum d'effort.

PLEIN RÉGIME

Un grand requin blanc (ci-dessus) nage à 3 km/h. Son tronc massif reste stable pendant que sa queue bat latéralement. Au moment de foncer sur sa proie, il peut accélérer brutalement et atteindre 25 km/h.

VIRAGE CONTRÔLÉ

Le grand requin blanc peut virer de bord, mais son corps, moins flexible que celui des petits requins, lui fait préférer l'effet de surprise aux manœuvres lors des attaques.

DES QUEUES À PLUSIEURS VITESSES

On peut déduire le mode de vie d'un requin d'après la forme de sa queue. Chez la majorité d'entre eux, le lobe dorsal de la nageoire caudale est plus grand que le lobe ventral, si bien qu'il produit une force supérieure et ascendante. Combinée à la poussée fournie par les nageoires pectorales, elle empêche le requin de sombrer. Les espèces les plus rapides, comme le taupe bleu et le grand blanc, possèdent une queue aux lobes presque égaux ; la poussée est alors assurée par l'ensemble du pédoncule caudal muni, chez le requin-taupe bleu, de carènes horizontales. La grande hauteur et la forme symétrique de ces nageoires caudales procurent une plus grande vitesse. Les requins de fond, tel le requin-nourrice, à la longue queue peu puissante, nagent lentement et par ondulations comme les anguilles.

REQUIN TIBURO
Ce petit requin-marteau (pp. 42-43) ne dépasse pas 1,50 m de long. Sa colonne vertébrale, comme celle de tous les requins, se prolonge dans le lobe dorsal de la nageoire caudale, plus grand que le lobe ventral et redressé par rapport au plan horizontal.

Nageoire caudale d'un requin tiburo

Queue d'un requin-renard

REQUIN-RENARD
Par rapport à celui des autres espèces, le lobe dorsal de la nageoire caudale du requin-renard est, de loin, le plus long. De 1,50 m à 2,50 m, sa taille égale celle de l'ensemble du corps. Le requin s'en sert aussi pour assommer ses proies et peut blesser sérieusement les pêcheurs quand ils le hissent à bord.

GRAND REQUIN BLANC
Les lobes de la nageoire caudale d'un grand requin blanc sont de taille égale et symétriques par rapport au plan horizontal. Seul le lobe dorsal contient le prolongement de la colonne vertébrale. La nageoire dorsale antérieure est rigide et s'oppose au roulis.

Vue postérieure d'un moulage de grand requin blanc (pp. 28-29)

ANGE DE MER
Pour soulever son corps énorme au-dessus des fonds marins, l'ange de mer agite sa queue et incline ses larges nageoires pectorales et pelviennes afin d'obtenir une poussée maximale. Une fois élevé, il godille avec sa queue mais ses pectorales n'ondulent pas comme celles des raies.

REQUIN-TAUPE
Véritables sprinters des mers, les requins-taupes peuvent effectuer des pointes de 32 km/h. Comme les thons, poissons les plus rapides, ils ont la nageoire caudale en forme de faucille, et sur le pédoncule caudal des quilles qui augmentent la poussée et stabilisent le tronc. Pris à la ligne, ils sautent hors de l'eau pour se libérer. Ce sont des prédateurs actifs qui chassent les autres poissons.

HOLBICHE VENTRUE
Plus petite que le requin-nourrice, la holbiche ventrue, longue de 1 m, est un animal paresseux qui se repose sur le fond le jour et nage en profondeur la nuit. Sa petite nageoire caudale s'élève à peine au-dessus du plan horizontal.

REQUIN DORMEUR
Le lobe ventral de la nageoire caudale du requin dormeur (pp. 40-41) est plus grand que celui de la holbiche ventrue. La caudale de ce requin de 1 m de long fait un angle faible avec le plan horizontal; c'est un nageur lent.

Le lobe ventral de la nageoire caudale d'un ange de mer (pp. 36-37) est plus long que son lobe dorsal.

REQUIN-NOURRICE
Long de 3 m, le requin-nourrice nage lentement, du fait de sa nageoire caudale peu développée.

Paupière nictitante
d'un peau
bleue

Pore

Narine

ILS POSSÈDENT UN SIXIÈME SENS

Il est difficile de savoir exactement comment les requins perçoivent leur environnement. Dans le monde sous-marin, l'intensité de la lumière décroît avec la profondeur et les couleurs virent au bleu ; les sons se propagent plus loin et cinq fois plus vite que sur terre ; les odeurs sont dissoutes dans l'eau et non portées par l'air. Comme nous, les requins disposent de cinq sens : la vue, l'ouïe, l'odorat, le goût et le toucher. Mais ils en possèdent un sixième, l'électroréception, qui détecte les champs électriques faibles émis par leurs proies et leur permet de s'orienter dans leurs déplacements. Par une sorte de toucher à distance, ils sont également sensibles aux vibrations produites par d'autres animaux en mouvement.

DÉTECTEUR
Le requin-marteau décèle les poissons cachés dans le sable, comme les détecteurs utilisés pour trouver les objets métalliques ensevelis.

TÊTE DE REQUIN
Comme chez l'homme, les principaux organes des sens des requins sont situés sur la tête. Sur ce requin bleu, on voit les yeux, les narines et les pores sensoriels qui détectent les champs électriques de faible intensité. L'œil est en partie recouvert par une troisième paupière, la nictitante, qui le protège quand le requin attaque une proie ou s'approche d'un objet qui lui est inconnu. Lorsqu'il nage, l'eau entre par les narines, sous le museau, baignant les sacs olfactifs d'un courant continu d'odeurs.

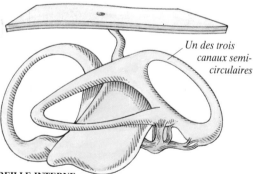

VORACITÉ
Quand les requins mordent aux appâts, ils sont souvent très excités et s'attaquent avec sauvagerie à la nourriture. Il leur arrive de se mordre et de se blesser entre eux.

Un des trois
canaux semi-
circulaires

OREILLE INTERNE
Les requins n'ont pas d'oreille externe. L'organe auditif est interne, situé de chaque côté du crâne. Il comporte 3 canaux semi-circulaires orientés à angle droit comme chez tous les Vertébrés. Ces canaux permettent aux requins de contrôler leur équilibre dans l'eau. D'autres récepteurs sensoriels, semblables à ceux de la ligne latérale, enregistrent les sons transmis par l'eau. Chaque oreille interne communique avec l'extérieur par un pore situé au sommet de la tête.

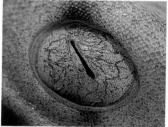

Pupille en fente du requin-épaulette

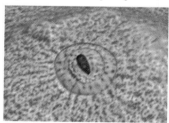

Ange de mer à pupille ouverte

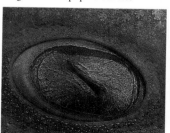

Pupille de requin dormeur

Squale à pupille close

Requin de récif à pupille verticale

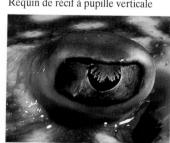

Œil de raie avec écran contre la lumière

DES YEUX DE TOUTES SORTES
Suivant la luminosité, l'iris de l'œil des requins se contracte ou se dilate, modifiant ainsi la taille de la pupille. Comme chez le chat, le fond de l'œil est formé d'une couche de cellules, le tapis choroïdien, qui réfléchissent la lumière sur la rétine où sont focalisées les images, augmentant ainsi l'intensité lumineuse. Un tel miroir permet aux requins de voir dans la pénombre. Face à une forte luminosité, le requin protège sa rétine grâce à des pigments. Comme celle de l'homme, la rétine des requins comporte deux types de cellules : des bâtonnets sensibles aux faibles luminosités et des cônes qui permettent d'apprécier les détails et donnent probablement une vision en couleurs.

TOUCHER À DISTANCE
La ligne latérale des requins parcourt les flancs et se poursuit sur la tête. C'est un ensemble de petits canaux avec des cellules sensorielles ciliées et s'ouvrant à l'extérieur par des pores. Eparpillées à la surface du corps, d'autres cellules sensorielles jouent le rôle de récepteurs tactiles et détectent les perturbations mécaniques.

Ligne latérale

Emissole tachetée

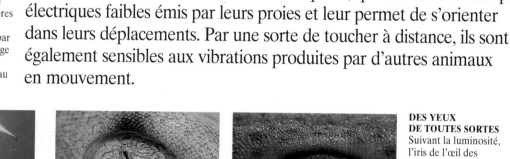

SENS DE L'ORIENTATION

Les requins se déplacent en s'orientant avec précision, alors que les hommes ont besoin d'une boussole dont l'aiguille aimantée oscille dans le champ magnétique terrestre et indique le nord si on la maintient dans cette direction. Les requins semblent capables de suivre une route donnée en appréciant la différence entre leur propre champ électrique et le champ magnétique terrestre. Ils tiennent compte de la vitesse et de la direction des courants et détectent les signaux magnétiques dus aux fonds rocheux.

Boussole

Aimant imaginaire

Axe nord-sud

CHAMP MAGNÉTIQUE TERRESTRE

Le noyau de la Terre agit comme un aimant géant créant un gigantesque champ magnétique. L'axe de cet aimant imaginaire fait un angle faible avec l'axe nord-sud de rotation de la Terre.

DES YEUX PÉDONCULES

Les yeux des requins-marteaux sont situés au bout des lobes céphaliques, ce qui améliore leur vue quand ils balancent la tête. Leurs narines, très espacées, leur permettent de localiser la source odorante. Leurs lobes céphaliques sont riches en ampoules de Lorenzini, minuscules électrorécepteurs qui détectent les champs électriques faibles émis par les poissons, même cachés.

BEC D'ORNITHORYNQUE

Avec les requins, l'ornithorynque est un des rares animaux à avoir ce sixième sens capable de détecter les champs électriques émis par ses proies. Les électrorécepteurs de l'ornithorynque sont situés sur le côté gauche de son bec.

Requin-nourrice

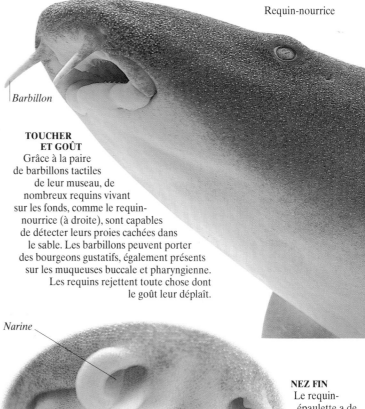

Barbillon

TOUCHER ET GOÛT

Grâce à la paire de barbillons tactiles de leur museau, de nombreux requins vivant sur les fonds, comme le requin-nourrice (à droite), sont capables de détecter leurs proies cachées dans le sable. Les barbillons peuvent porter des bourgeons gustatifs, également présents sur les muqueuses buccale et pharyngienne. Les requins rejettent toute chose dont le goût leur déplaît.

Narine

NEZ FIN

Le requin-épaulette a de larges narines; l'eau y pénètre jusqu'au sac olfactif où les odeurs sont enregistrées. Les requins ont une sensibilité chimique très fine : ils détectent une goutte de jus de poisson dilué un milliard de fois.

UN MUSEAU EN POINTILLÉ

Les points en avant des narines de ce requin de sable sont les pores des ampoules de Lorenzini, remplies de mucus. Ces organes sensoriels sont sensibles aux champs électriques de faible intensité émis par les contractions musculaires et autres processus biologiques de leurs proies. Les requins sont souvent trompés par les champs électriques dus aux objets métalliques, ce qui explique, par exemple, qu'ils mordent les cages des plongeurs (p. 52).

Museau d'un requin-épaulette

CERTAINS SORTENT D'UN ŒUF...

La recherche d'un partenaire chez certains requins, ovipares ou vivipares, exige un long trajet quand mâles et femelles vivent dans des régions différentes de l'océan. Dès qu'un mâle a trouvé une femelle, il la poursuit, la mordant pour l'encourager à s'accoupler. À l'inverse de ce qui se passe chez la majorité des poissons osseux où les ovocytes et le sperme sont émis dans l'eau, la fécondation des requins est interne. Le mâle introduit un de ses ptérygopodes (prolongement des nageoires pelviennes) dans le cloaque de la femelle. L'eau présente dans un sac musculaire du mâle jaillit alors dans un sillon du ptérygopode et pousse le sperme dans l'oviducte de la femelle où il féconde les ovocytes. Chez certains requins, les femelles stockent les spermatozoïdes jusqu'à ce qu'elles aient atteint la maturité sexuelle, soit un mois à un an après l'accouplement, suivant les espèces. La plupart des requins sont vivipares : les œufs fécondés se développent dans l'oviducte de la femelle qui accouche de ses petits vivants. Chez les requins ovipares, les œufs, protégés par une capsule cornée, sont déposés sur le fond, ou fixés à des algues, et abandonnés ainsi à leur sort jusqu'à l'éclosion.

SIRÈNE
La sirène, créature mythique au corps de femme et à queue de poisson, est à l'origine de nombreuses légendes. On appelle «bourses de sirène» les capsules vides des œufs de requin et de raie rejetées sur le rivage.

COURSE POURSUITE
Ce requin-corail mâle poursuit une femelle afin de s'accoupler. Il est probablement attiré par son odeur.

EN SPIRALE
Les œufs à capsule en spirale des requins dormeurs sont déposés à l'abri dans les rochers.

ŒUFS DE REQUINS-CARPETTES
Les œufs des requins-carpettes sont solidement fixés à un support. Grands et bien protégés, ils ont plus de chances de survie que les nombreux petits œufs des poissons osseux.

Denticule cutané épineux

MORSURES AMOUREUSES
Quand le requin-corail mâle approche une femelle, il la mordille pour attirer son attention. Pendant l'accouplement, il la maintient en saisissant ses nageoires pectorales entre ses mâchoires. On connaît mal le comportement reproducteur des grands requins.

CUIR PROTECTEUR
Chez certains requins, comme ce peau bleue, les femelles ont la peau beaucoup plus épaisse que les mâles, ce qui les protège des morsures, le plus souvent superficielles, infligées pendant la cour.

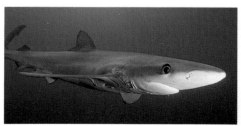

ACCOUPLEMENT
Il est rare de voir les requins s'accoupler dans la nature ou en aquarium. Cependant, des plongeurs ont pu observer l'accouplement, flanc contre flanc, de grands requins. Les requins-corails (à gauche) s'accouplent tête en bas. Le mâle des chiens de mer et des squales est plus souple et s'enroule autour de la femelle pour la féconder.

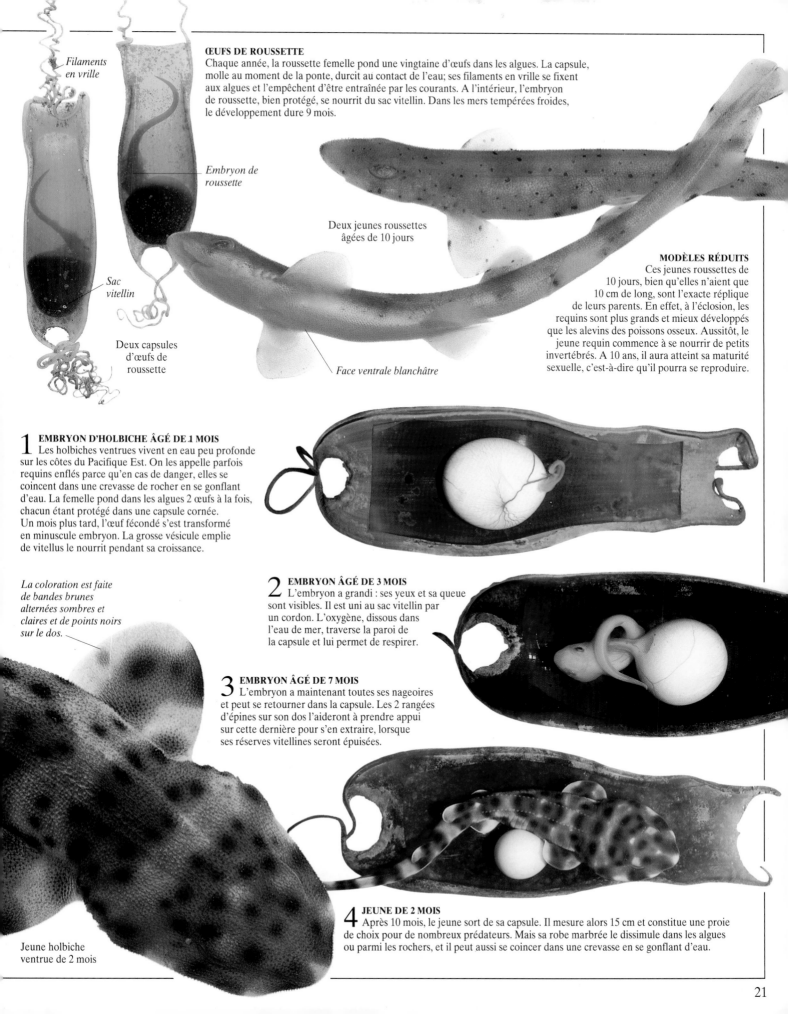

Filaments en vrille

ŒUFS DE ROUSSETTE

Chaque année, la roussette femelle pond une vingtaine d'œufs dans les algues. La capsule, molle au moment de la ponte, durcit au contact de l'eau; ses filaments en vrille se fixent aux algues et l'empêchent d'être entraînée par les courants. A l'intérieur, l'embryon de roussette, bien protégé, se nourrit du sac vitellin. Dans les mers tempérées froides, le développement dure 9 mois.

Embryon de roussette

Sac vitellin

Deux capsules d'œufs de roussette

Deux jeunes roussettes âgées de 10 jours

Face ventrale blanchâtre

MODÈLES RÉDUITS

Ces jeunes roussettes de 10 jours, bien qu'elles n'aient que 10 cm de long, sont l'exacte réplique de leurs parents. En effet, à l'éclosion, les requins sont plus grands et mieux développés que les alevins des poissons osseux. Aussitôt, le jeune requin commence à se nourrir de petits invertébrés. A 10 ans, il aura atteint sa maturité sexuelle, c'est-à-dire qu'il pourra se reproduire.

1 EMBRYON D'HOLBICHE ÂGÉ DE 1 MOIS
Les holbiches ventrues vivent en eau peu profonde sur les côtes du Pacifique Est. On les appelle parfois requins enflés parce qu'en cas de danger, elles se coincent dans une crevasse de rocher en se gonflant d'eau. La femelle pond dans les algues 2 œufs à la fois, chacun étant protégé dans une capsule cornée. Un mois plus tard, l'œuf fécondé s'est transformé en minuscule embryon. La grosse vésicule emplie de vitellus le nourrit pendant sa croissance.

La coloration est faite de bandes brunes alternées sombres et claires et de points noirs sur le dos.

2 EMBRYON ÂGÉ DE 3 MOIS
L'embryon a grandi : ses yeux et sa queue sont visibles. Il est uni au sac vitellin par un cordon. L'oxygène, dissous dans l'eau de mer, traverse la paroi de la capsule et lui permet de respirer.

3 EMBRYON ÂGÉ DE 7 MOIS
L'embryon a maintenant toutes ses nageoires et peut se retourner dans la capsule. Les 2 rangées d'épines sur son dos l'aideront à prendre appui sur cette dernière pour s'en extraire, lorsque ses réserves vitellines seront épuisées.

4 JEUNE DE 2 MOIS
Après 10 mois, le jeune sort de sa capsule. Il mesure alors 15 cm et constitue une proie de choix pour de nombreux prédateurs. Mais sa robe marbrée le dissimule dans les algues ou parmi les rochers, et il peut aussi se coincer dans une crevasse en se gonflant d'eau.

Jeune holbiche ventrue de 2 mois

... D'AUTRES NAISSENT AUTONOMES

La majorité des requins sont vivipares : ils donnent naissance à des petits vivants au lieu de pondre des œufs. En général, les femelles produisent de gros œufs riches en vitellus qu'elles gardent dans leurs oviductes ; les embryons s'alimentent alors grâce au sac vitellin relié à leur abdomen. Quand le vitellus est épuisé, ils sont devenus des jeunes prêts à naître. Les embryons de certaines espèces se nourrissent à la fois du vitellus de l'œuf et d'un liquide que sécrète la muqueuse utérine ; un complément leur est fourni par des œufs non fécondés ou par les autres embryons présents dans l'oviducte maternel.

Chez les requins de sable, un seul de ces jeunes cannibales survit dans chaque oviducte, après avoir dévoré frères et sœurs. Le développement embryonnaire est plus complexe pour d'autres espèces, requins-citrons, peaux bleues, requins-taureaux et requins-marteaux : comme chez les mammifères, l'embryon reçoit de la mère, à travers le placenta, l'eau, l'oxygène et les éléments nutritifs nécessaires à sa croissance.

HEUREUX BÉBÉ
Les bébés humains ne subviennent pas à leurs propres besoins ; les jeunes requins, en revanche, peuvent, dès leur naissance, se débrouiller tout seuls.

UN REQUIN-CITRON PRESSÉ DE NAÎTRE
1. Les femelles prêtes à mettre bas pénètrent dans les eaux paisibles des lagons, à l'abri des vagues. Des chercheurs ont pu en capturer aux Bahamas et suivre la mise bas. On voit apparaître ici le bout de la queue dans l'ouverture cloacale de la mère.

2. La naissance commence.

3. Le chercheur aide le jeune à sortir, comme le ferait une sage-femme.

2

3

NAISSANCE D'UN REQUIN-MARTEAU
Le requin-marteau donne naissance à des jeunes qui sont son exacte réplique. Il peut en expulser jusqu'à 40 à la fois, tête la première, lobes latéraux repliés. Dans les oviductes, chaque embryon est relié à la mère par un cordon ombilical.

UNE LONGUE ATTENTE
La gestation des éléphants est la plus longue de tous les Mammifères, elle dure 22 mois; ce n'est pas surprenant si l'on songe que l'éléphanteau pèse plus de 100 kg à la naissance. Chez la plupart des requins, elle est de 9 mois, comme pour l'homme; toutefois, l'aiguillat concurrence l'éléphant en attendant 18 à 24 mois avant de naître.

NAISSANCE SANS DOULEUR
Pendant la mise bas la femelle hérisson n'est pas blessée par ses petits, leurs piquants ne poussant que plus tard. De même, au moment de la naissance, les épines des nageoires dorsales des aiguillats sont recouvertes de peau, et les dents du rostre des requins-scies, repliées vers l'arrière.

REQUIN-RENARD
Le requin-renard à gros yeux met au monde 2 à 4 jeunes à la fois, dotés d'une longue queue comme leurs parents. Dans l'oviducte, ils se sont nourris d'œufs non fécondés.

4. Le jeune requin-citron, un des 17 à naître, est encore relié à sa mère par son cordon ombilical. Celle-ci mesure près de 3 m de long, les jeunes 60 cm seulement.

5. Le jeune se repose sur le fond, puis se met à nager, rompant son cordon ombilical.

6. Il doit maintenant se débrouiller seul, rechercher l'abri des racines des palétuviers pour se protéger des prédateurs (grands requins ou barracudas). Pendant plusieurs années, il restera dans les eaux peu profondes du lagon, près de l'endroit de sa naissance. Puis il partira explorer le récif corallien, allant chaque jour un peu plus loin vers le large.

6

4

5

Dents minuscules du requin-pèlerin   Branchiospines

GUEULE BÉANTE
Les requins-pèlerins nagent bouche ouverte (ci-dessus) pour capturer crevettes et autres petits animaux planctoniques. Quand l'eau ressort par les fentes branchiales, ceux-ci sont retenus par les rangées de branchiospines, baguettes cartilagineuses disposées le long des arcs branchiaux. Les branchiospines, qui tombent chaque hiver quand la nourriture devient rare, repoussent au printemps suivant; le pèlerin peut alors à nouveau se nourrir.

LES DENTS DE LA MER

La denture des requins se renouvelle continuellement. Quand les dents de la première rangée tombent, elles sont remplacées par celles de la rangée suivante. Au cours de la croissance, les nouvelles dents deviennent plus grandes que les anciennes, en variant parfois de forme. Adaptées au régime alimentaire de chaque espèce, elles sont soit pointues pour saisir les petites proies, soit en dents de scie pour les couper, soit longues et recourbées pour retenir les poissons couverts de mucus, ou bien encore en forme de meule pour écraser les coquillages. Certains requins, comme les pèlerins ou les requins-baleines, ont des dents minuscules par rapport à leur taille gigantesque; elles ne leur servent pas à se nourrir car ils filtrent l'eau grâce à leurs branchiospines.

REQUINS-ÉPAULETTES
Les requins-épaulettes (1 m de long) vivent près des récifs coralliens d'Australie et de Nouvelle-Guinée. A la recherche de petits poissons et de crustacés, ils se déplacent, grâce à leurs nageoires pectorales, sur le fond des eaux côtières et des flaques laissées à marée basse.

Requin-épaulette mangeant un poisson

SOURIRE TROMPEUR
Les holbiches ventrues du Pacifique Est ont une bouche immense pour leur modeste taille (1 m). Armées de dents minuscules, elles mangent les poissons qu'elles capturent alors qu'ils se reposent sur le fond. Seules les petites dents antérieures du requin de Port Jackson (à droite, en bas) sont visibles quand il ouvre la bouche; ses dents postérieures lui permettent d'écraser les coquillages.

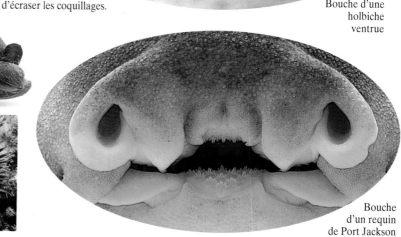

Bouche d'une holbiche ventrue

À CROQUER
Les requins de Port Jackson se nourrissent de crabes, de moules (ci-contre) et d'oursins (en bas). Ils saisissent leurs proies avec leurs dents antérieures, petites et pointues, et les broient grâce à leurs dents postérieures, puissantes et plates.

Coupe montrant les mâchoires d'un requin de Port Jackson

Bouche d'un requin de Port Jackson

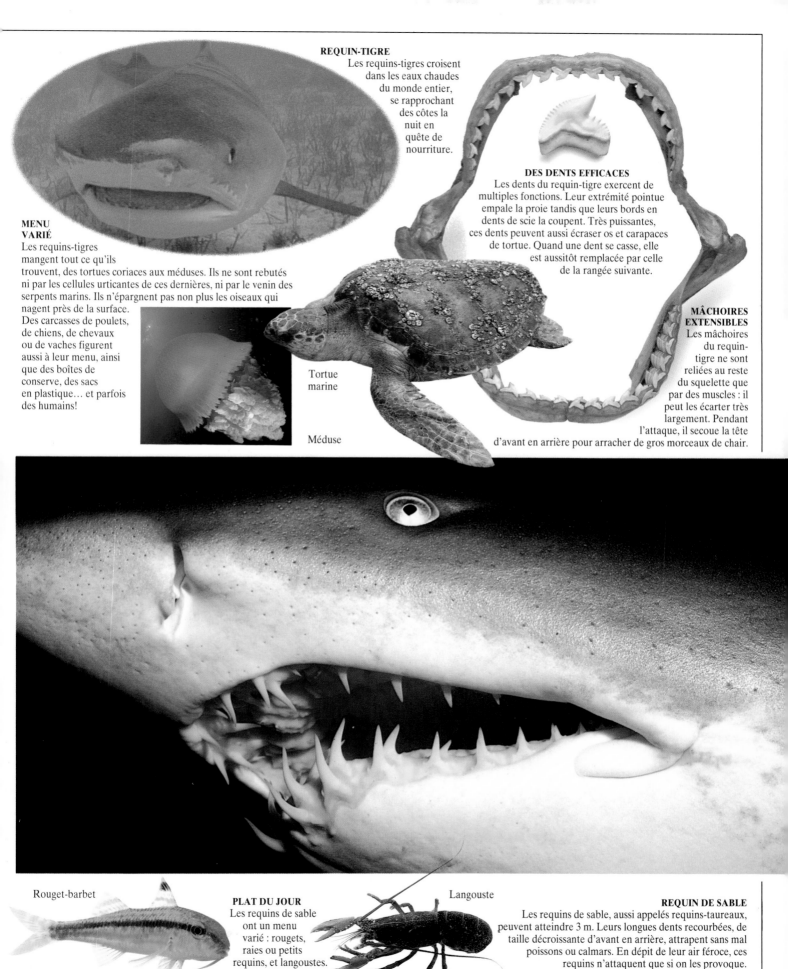

REQUIN-TIGRE
Les requins-tigres croisent dans les eaux chaudes du monde entier, se rapprochant des côtes la nuit en quête de nourriture.

DES DENTS EFFICACES
Les dents du requin-tigre exercent de multiples fonctions. Leur extrémité pointue empale la proie tandis que leurs bords en dents de scie la coupent. Très puissantes, ces dents peuvent aussi écraser os et carapaces de tortue. Quand une dent se casse, elle est aussitôt remplacée par celle de la rangée suivante.

MENU VARIÉ
Les requins-tigres mangent tout ce qu'ils trouvent, des tortues coriaces aux méduses. Ils ne sont rebutés ni par les cellules urticantes de ces dernières, ni par le venin des serpents marins. Ils n'épargnent pas non plus les oiseaux qui nagent près de la surface. Des carcasses de poulets, de chiens, de chevaux ou de vaches figurent aussi à leur menu, ainsi que des boîtes de conserve, des sacs en plastique… et parfois des humains!

Tortue marine

Méduse

MÂCHOIRES EXTENSIBLES
Les mâchoires du requin-tigre ne sont reliées au reste du squelette que par des muscles : il peut les écarter très largement. Pendant l'attaque, il secoue la tête d'avant en arrière pour arracher de gros morceaux de chair.

Rouget-barbet

PLAT DU JOUR
Les requins de sable ont un menu varié : rougets, raies ou petits requins, et langoustes.

Langouste

REQUIN DE SABLE
Les requins de sable, aussi appelés requins-taureaux, peuvent atteindre 3 m. Leurs longues dents recourbées, de taille décroissante d'avant en arrière, attrapent sans mal poissons ou calmars. En dépit de leur air féroce, ces requins n'attaquent que si on les provoque.

25

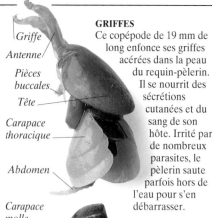

GRIFFES
Ce copépode de 19 mm de long enfonce ses griffes acérées dans la peau du requin-pèlerin. Il se nourrit des sécrétions cutanées et du sang de son hôte. Irrité par de nombreux parasites, le pèlerin saute parfois hors de l'eau pour s'en débarrasser.

Griffe
Antenne
Pièces buccales
Tête
Carapace thoracique
Abdomen
Carapace molle
Pédoncule
Filament absorbant la nourriture de l'hôte

ANATIFES À BORD
Les larves de l'anatife se fixent aux nageoires dorsales des requins par leurs antennules, puis se métamorphosent. Le pédoncule de cet anatife de 26 mm de long porte des suceurs qui absorbent la substance de son hôte pour s'en nourrir.

Femelle   Mâle

VENTOUSES
Ces copépodes, petits crustacés longs de 13 mm, se fixent aux nageoires des requins par des disques adhésifs et se nourrissent de leurs sécrétions cutanées.

LES REQUINS SONT DES HÔTES ACCUEILLANTS

À l'instar de la plupart des animaux, les requins ont une grande variété d'amis et d'ennemis qui vivent à leurs côtés ou en parasites. Les rémoras se fixent sur eux par leur ventouse pour se faire transporter, ou nagent dans leur sillage suivant l'exemple des poissons-pilotes. Les requins sont attaqués par de nombreux parasites qui se nourrissent de leur peau, sucent leur sang ou pénètrent dans leurs viscères. Certains, comme les vers plats, ont des cycles complexes et passent par plusieurs hôtes avant d'infester les requins. Mais s'ils sont incommodants, ces parasites constituent rarement un danger mortel. D'autres poissons appelés nettoyeurs débarrassent les requins de leurs parasites externes et branchiaux.

DENTS BLANCHES
Il n'y a pas que les requins qui ont des nettoyeurs. Ce pluvier ôte les débris entre les dents d'un crocodile et y trouve de quoi satisfaire son appétit.

DÉRIVEURS
Deux copépodes fixés à la nageoire dorsale d'un requin-taupe bleu laissent traîner derrière eux leurs sacs ovigères emplis d'œufs. Libérés, les œufs donnent naissance à de minuscules larves planctoniques qui passent par plusieurs stades successifs avant de se fixer à un requin.

RÉMORAS
Les rémoras (à gauche) vivent dans toutes les mers tropicales. Ils ont sur la tête une ventouse allongée pour se fixer aux requins, aux tortues marines, aux raies, et parfois même aux bateaux. Ils débarrassent leurs hôtes de leurs parasites externes, profitent des restes de leurs repas et dévorent les placentas quand une femelle met bas.

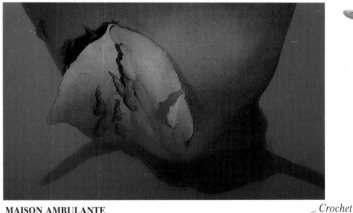

MAISON AMBULANTE
Le requin-baleine (en haut) est si grand qu'il peut accueillir plusieurs rémoras et poissons-pilotes. Les rémoras se réunissent autour de la bouche et pénètrent parfois dans la cavité buccale ou branchiale pour en extraire les parasites; d'autres se groupent autour de l'orifice cloacal d'une femelle (ci-dessus). Le rémora se fixe au requin ou profite de son sillage.

DES VERS À PROFUSION
On peut trouver des centaines de vers plats parasites, de 30 cm de long, fixés par leurs crochets épineux à la muqueuse intestinale du requin pour absorber la nourriture. Leurs œufs sont expulsés avec les fèces et éclosent quand un copépode les avale. Le parasite infeste le poisson osseux qui mange le copépode, puis le requin qui mange le poisson.

Crochet incrusté à la surface de l'œil

Antennule

Tête

Tronc

Sac ovigère contenant des milliers d'œufs

Crochet

Tête

Queue

EN PLEIN DANS L'ŒIL
Ce copépode se fixe par ses longues antennules à l'œil d'une laimargue du Groenland. Malgré sa petite taille (31 mm), ce parasite trouble la vue de son hôte de 6 m de long. Il se nourrit des tissus de l'œil et, une fois fixé, ne peut plus se libérer.

DES PROFITEURS ADROITS
Comme les poissons-pilotes, ces jeunes carangues royales jaunes de l'Indo-Pacifique accompagnent de gros poissons tels les requins. Ils ne les guident pas vers une source de nourriture mais se contentent de grappiller les restes de leurs repas. Ils profitent aussi de leur protection, les autres poissons ne se hasardant guère au voisinage des requins. Ils sont eux-mêmes très agiles et savent leur échapper.

NAVIGATION
Un grand paquebot est guidé dans les ports par un remorqueur, mais un requin n'a besoin d'aucune aide.

LE GRAND REQUIN BLANC
EST UN PRÉDATEUR REDOUTABLE

De tous les prédateurs marins, c'est le grand requin blanc qui inspire le plus de crainte. Cet animal impressionnant, de six mètres de long et de plus de deux tonnes, est capable d'avaler un phoque entier. Célèbre grâce au film « les Dents de la mer » (1975), dans lequel il apparaît comme un tueur assoiffé de sang, il attaque pourtant rarement l'homme, et sans doute quand il le confond avec ses proies habituelles. Malgré sa renommée, on possède sur lui peu d'informations, car il est rare. On ne connaît pas les modalités de sa reproduction ni sa longévité. On ignore aussi si ces monstres marins sont nombreux mais, en certaines régions, leurs populations semblent en déclin.

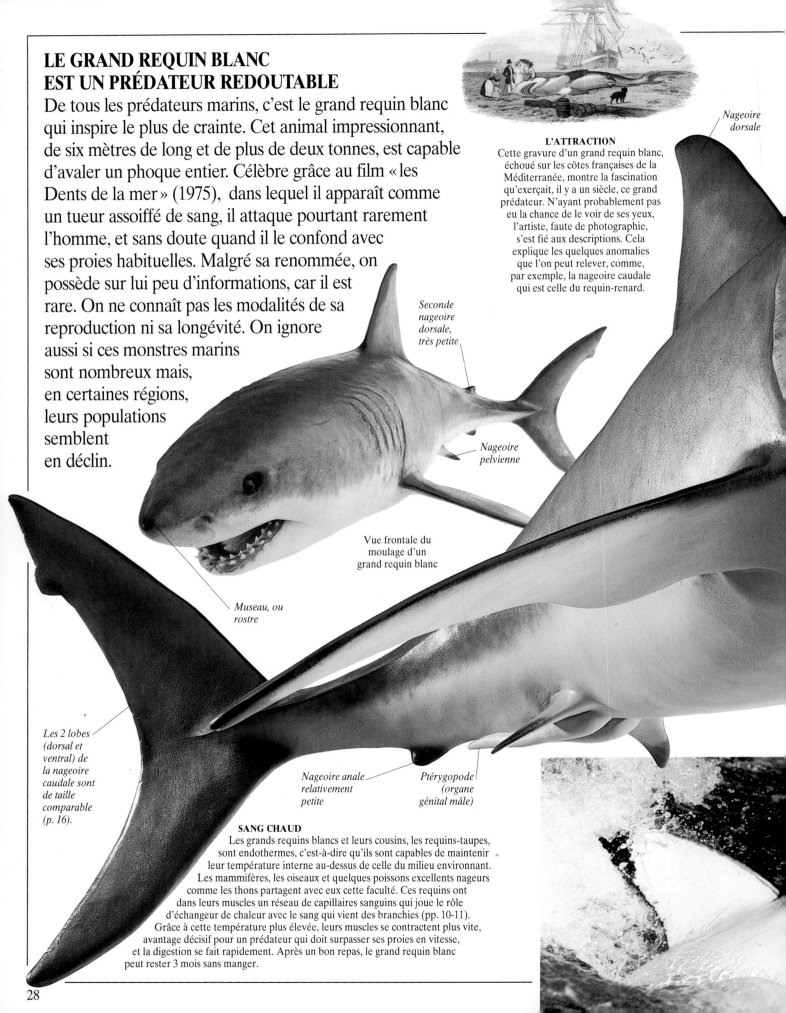

L'ATTRACTION
Cette gravure d'un grand requin blanc, échoué sur les côtes françaises de la Méditerranée, montre la fascination qu'exerçait, il y a un siècle, ce grand prédateur. N'ayant probablement pas eu la chance de le voir de ses yeux, l'artiste, faute de photographie, s'est fié aux descriptions. Cela explique les quelques anomalies que l'on peut relever, comme, par exemple, la nageoire caudale qui est celle du requin-renard.

Nageoire dorsale

Seconde nageoire dorsale, très petite

Nageoire pelvienne

Vue frontale du moulage d'un grand requin blanc

Museau, ou rostre

Les 2 lobes (dorsal et ventral) de la nageoire caudale sont de taille comparable (p. 16).

Nageoire anale relativement petite

Ptérygopode (organe génital mâle)

SANG CHAUD
Les grands requins blancs et leurs cousins, les requins-taupes, sont endothermes, c'est-à-dire qu'ils sont capables de maintenir leur température interne au-dessus de celle du milieu environnant. Les mammifères, les oiseaux et quelques poissons excellents nageurs comme les thons partagent avec eux cette faculté. Ces requins ont dans leurs muscles un réseau de capillaires sanguins qui joue le rôle d'échangeur de chaleur avec le sang qui vient des branchies (pp. 10-11). Grâce à cette température plus élevée, leurs muscles se contractent plus vite, avantage décisif pour un prédateur qui doit surpasser ses proies en vitesse, et la digestion se fait rapidement. Après un bon repas, le grand requin blanc peut rester 3 mois sans manger.

Pore d'une ampoule de Lorenzini,
organe sensoriel détectant les champs
électriques créés par une
proie (pp. 18-19)

Une des 5
longues fentes
branchiales

Dent pointue à
bords crénelés

MORT BLANCHE
La livrée d'un grand
requin blanc le rend difficile
à voir dans l'eau et lui permet
de surprendre ses victimes.
Vu de dessous, son ventre blanc
se confond avec la lumière solaire qui
se réfléchit sur l'eau. On appelle parfois
ce requin «pointe blanche», à cause de son
museau pointu qui augmente son
hydrodynamisme. Il a souvent sur le museau
des balafres dues aux proies qui se sont débattues,
ou des blessures infligées par des congénères de plus
grande taille qui lui ont disputé ses prises.

Vue latérale d'un
moulage de grand
requin blanc

Nageoire
pectorale

MORDRE À L'APPÂT
Les scientifiques et les photographes
utilisent le «chum», mélange de sang et
de saumon pourri, et des appâts pour attirer
le grand requin blanc. Un des rares requins
à sortir la tête de l'eau avant ou pendant
une attaque, il roule ses yeux dans ses
orbites, n'en montrant que la cornée, pour
éviter que la partie la plus fragile de l'œil,
la pupille, ne soit lésée par les griffes
ou les dents de la proie qui se débat
(un phoque, par exemple).

MARQUAGE POUR FILATURE
Le chercheur John McCosker marque un grand requin blanc
au large des côtes australiennes (en haut). Des émetteurs
sonores ou radio ont montré que ce requin nage à près
de 3 km/h de moyenne et peut parcourir 200 km en 3 jours.

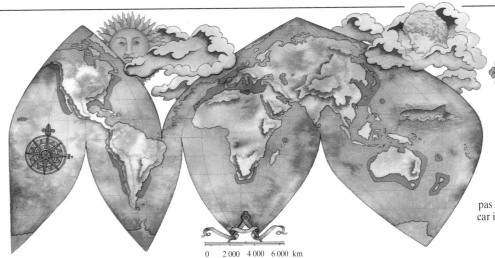

Répartition des grands requins blancs

UNE GROSSE BOUCHÉE
La mâchoire supérieure du grand requin blanc s'avance et son museau se redresse pour arracher un gros morceau de chair. Ce requin n'a apparemment pas peur que sa proie se débatte car il n'a pas roulé ses yeux dans ses orbites pour les protéger.

À LA TABLE DU GRAND REQUIN BLANC

Le grand requin blanc vit aussi bien dans les eaux tempérées froides que dans les eaux chaudes, le long des côtes d'Amérique, d'Afrique, de Méditerranée, du Japon, de Chine, de Corée, d'Australie et de Nouvelle-Zélande. Il fréquente aussi parfois les îles de l'Atlantique ou du Pacifique central. Il ne partage ses zones de chasse qu'avec un petit nombre de congénères et recherche les colonies de phoques dont il dévore jeunes et adultes. Pour attaquer, il approche sa proie par en dessous, sans être vu, la mord puis s'éloigne. Dès que sa victime est suffisamment affaiblie par la perte de son sang, il l'achève. Le grand requin blanc change de régime suivant sa taille. Les jeunes, jusqu'à deux à trois mètres, se nourrissent surtout de poissons, tandis que les plus âgés, mesurant quatre mètres ou davantage, s'attaquent aux phoques et aux otaries.

AU MENU
Le grand requin blanc s'attaque à une grande variété de proies : poissons osseux, requins, oiseaux de mer, mammifères marins (phoques et marsouins) et hommes, à l'occasion. C'est aussi un charognard qui mange des carcasses de baleines et autres animaux morts.

Un plongeur en guise de dîner

Les jeunes du grand requin blanc s'attaquent aux rascasses, le long de la côte pacifique de l'Amérique du Nord.

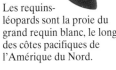

Les requins-léopards sont la proie du grand requin blanc, le long des côtes pacifiques de l'Amérique du Nord.

L'otarie de Californie figure au menu des grands requins blancs adultes.

LES ROIS DES TUEURS
Le tigre, sur terre, et le grand requin blanc, en mer, sont les prédateurs les plus puissants. A l'état adulte, ils n'ont pas d'autre ennemi que l'homme qui, en retour, est parfois leur victime.

Les scientifiques ont trouvé des restes de manchots du Cap portant des marques de morsure dues au grand requin blanc.

Les jeunes éléphants de mer sont des proies faciles.

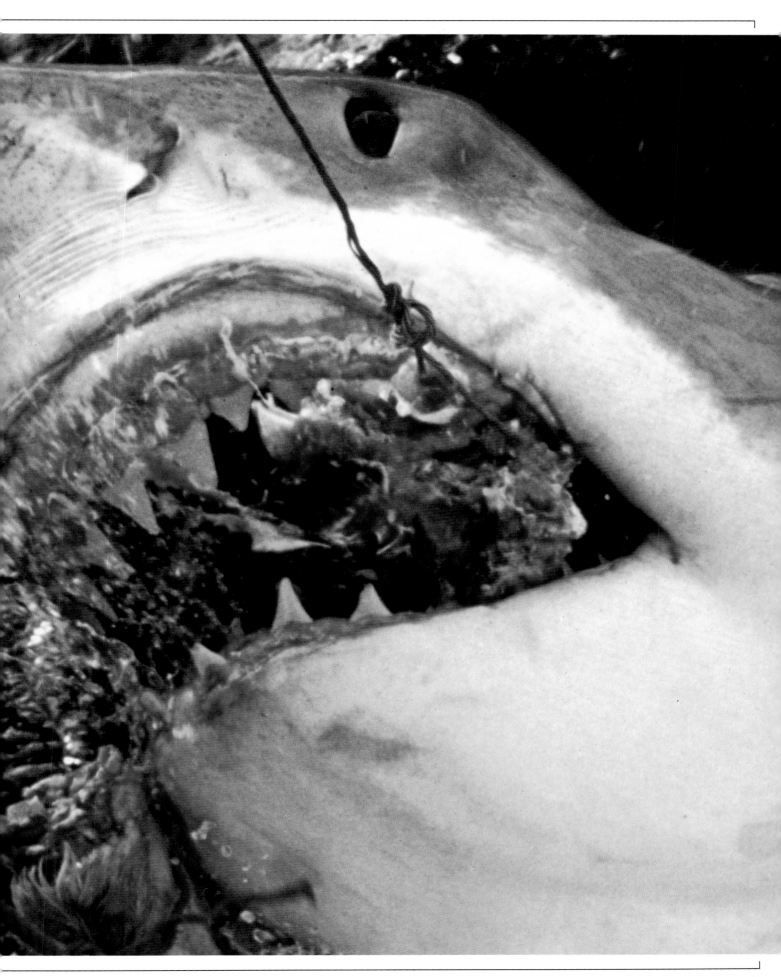

LE REQUIN-BALEINE
EST UN GÉANT INOFFENSIF

Le requin-baleine est le plus grand poisson du monde. Il peut atteindre douze mètres de long et peser treize tonnes, rivalisant ainsi avec un des plus grands mammifères marins, la baleine grise. Doux et inoffensif, il se laisse chevaucher par les plongeurs agrippés à ses nageoires ; ceux-ci risquent seulement d'être écorchés par sa peau rugueuse ou accidentellement frappés par ses coups de queue. Ce géant des mers tropicales nage assez vite, jusqu'à trois kilomètres à l'heure, et souvent près de la surface, si bien qu'il est parfois heurté par les bateaux. Il satisfait ses énormes besoins alimentaires en filtrant l'eau, attrapant de cette manière une grande variété d'organismes. La femelle incube probablement ses œufs à l'intérieur de son corps pour donner naissance à des petits vivants (pp. 22-23).

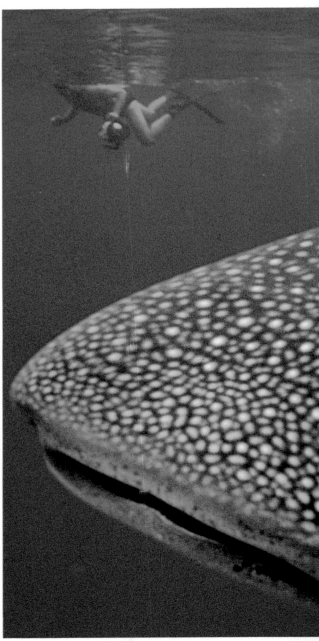

SIMILITUDE
Le requin-baleine doit son nom à sa ressemblance avec les baleines, qui ne sont pas des poissons mais des mammifères.

FAIBLE DENTURE
Le requin-baleine ne déchire ni ne mâche sa nourriture et n'a donc pas besoin de ses dents minuscules.

Répartition des requins-baleines

DENTS EN SÉRIE
Tout le monde use ses dents en mâchant. Celles du requin sont remplacées automatiquement sans les soins d'un dentiste.

GRANDE LAMPÉE
En dépit de sa grande taille, le requin-baleine se nourrit de plancton – animaux microscopiques en suspension dans l'eau – et de petits poissons, ce que font aussi les requins-pèlerins (pp. 34-35), les mantes (pp. 8-9) et les baleines. Il avale l'eau par son énorme bouche et l'expulse par ses fentes branchiales ; la nourriture est retenue par le filtre branchial que soutiennent des baguettes cartilagineuses. Parfois le requin-baleine prend une plus grosse proie, maquereau ou thon, qu'il avale en même temps que des bancs de petits poissons. Il peut manger à la verticale et même sortir la tête hors de l'eau puis plonger à reculons pour aspirer un gros poisson.

Le requin-chabot
à taches blanches
peut mesurer jusqu'à
95 cm de long.

*Nageoire
anale*

Le requin-chabot bambou
ne dépasse guère
1 m de long.

Le requin-nourrice
atteint 3 m de long.

DES PARENTS MODESTES

Bien qu'ils soient beaucoup plus petits,
ces 4 requins sont de proches parents
du requin-baleine. Tous ont une nageoire
anale et leurs yeux sont situés très en
arrière de la bouche. Deux barbillons
tactiles à l'extrémité du museau leur
servent à détecter la nourriture. Mais,
contrairement au requin-baleine, ces
petits requins vivent sur le fond.

Barbillon

Le requin-épaulette mesure 1 m de long.

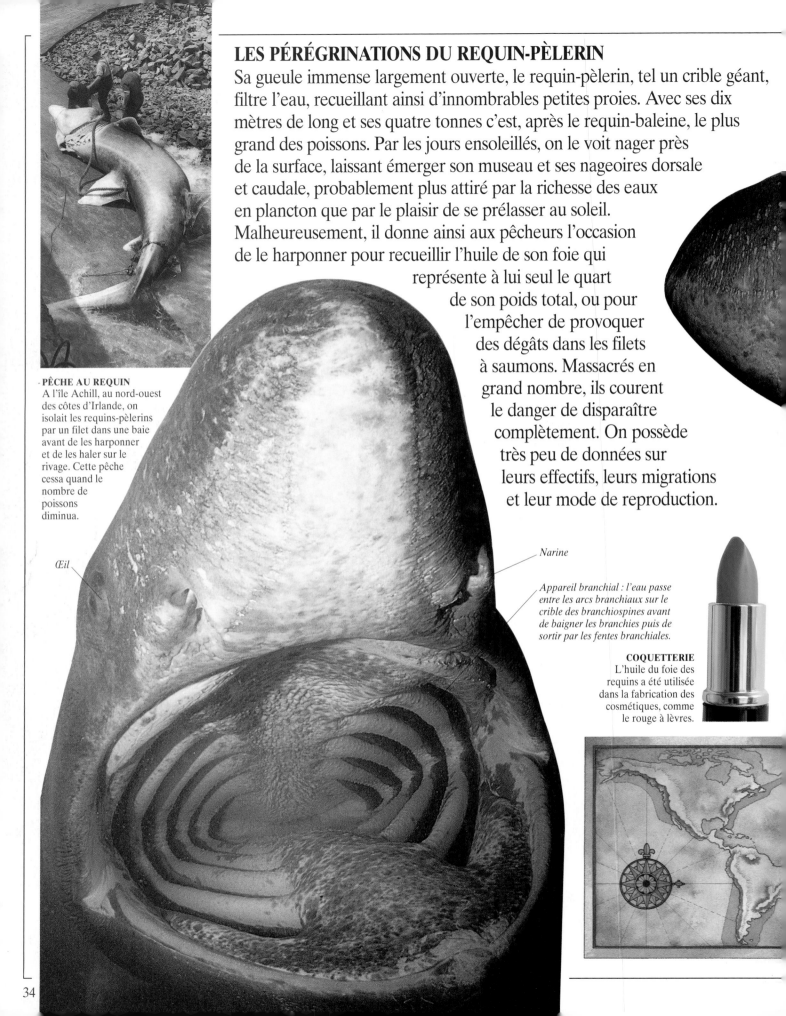

LES PÉRÉGRINATIONS DU REQUIN-PÈLERIN

Sa gueule immense largement ouverte, le requin-pèlerin, tel un crible géant, filtre l'eau, recueillant ainsi d'innombrables petites proies. Avec ses dix mètres de long et ses quatre tonnes c'est, après le requin-baleine, le plus grand des poissons. Par les jours ensoleillés, on le voit nager près de la surface, laissant émerger son museau et ses nageoires dorsale et caudale, probablement plus attiré par la richesse des eaux en plancton que par le plaisir de se prélasser au soleil. Malheureusement, il donne ainsi aux pêcheurs l'occasion de le harponner pour recueillir l'huile de son foie qui représente à lui seul le quart de son poids total, ou pour l'empêcher de provoquer des dégâts dans les filets à saumons. Massacrés en grand nombre, ils courent le danger de disparaître complètement. On possède très peu de données sur leurs effectifs, leurs migrations et leur mode de reproduction.

PÊCHE AU REQUIN
A l'île Achill, au nord-ouest des côtes d'Irlande, on isolait les requins-pèlerins par un filet dans une baie avant de les harponner et de les haler sur le rivage. Cette pêche cessa quand le nombre de poissons diminua.

Œil

Narine

Appareil branchial : l'eau passe entre les arcs branchiaux sur le crible des branchiospines avant de baigner les branchies puis de sortir par les fentes branchiales.

COQUETTERIE
L'huile du foie des requins a été utilisée dans la fabrication des cosmétiques, comme le rouge à lèvres.

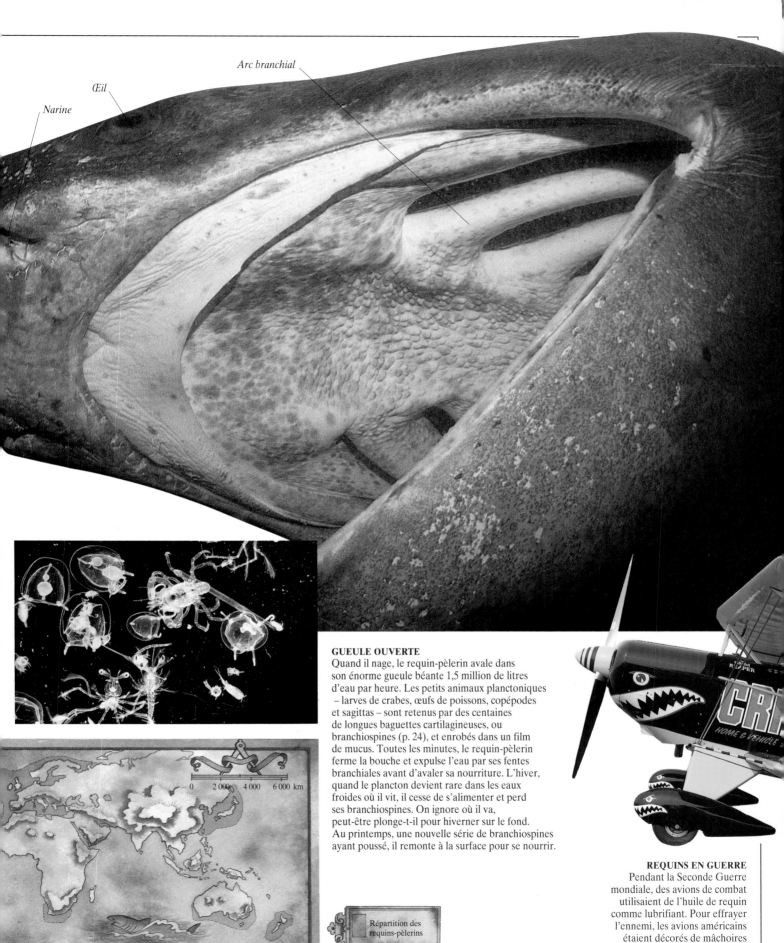

Narine

Œil

Arc branchial

GUEULE OUVERTE
Quand il nage, le requin-pèlerin avale dans
son énorme gueule béante 1,5 million de litres
d'eau par heure. Les petits animaux planctoniques
– larves de crabes, œufs de poissons, copépodes
et sagittas – sont retenus par des centaines
de longues baguettes cartilagineuses, ou
branchiospines (p. 24), et enrobés dans un film
de mucus. Toutes les minutes, le requin-pèlerin
ferme la bouche et expulse l'eau par ses fentes
branchiales avant d'avaler sa nourriture. L'hiver,
quand le plancton devient rare dans les eaux
froides où il vit, il cesse de s'alimenter et perd
ses branchiospines. On ignore où il va,
peut-être plonge-t-il pour hiverner sur le fond.
Au printemps, une nouvelle série de branchiospines
ayant poussé, il remonte à la surface pour se nourrir.

0   2 000   4 000   6 000 km

Répartition des
requins-pèlerins

REQUINS EN GUERRE
Pendant la Seconde Guerre
mondiale, des avions de combat
utilisaient de l'huile de requin
comme lubrifiant. Pour effrayer
l'ennemi, les avions américains
étaient décorés de mâchoires
agressives.

DES ANGES SE CACHENT AU FOND DES MERS

Si un rouleau compresseur passait sur un requin, le résultat ressemblerait à l'ange de mer. Ce requin aplati est doté de très larges nageoires pectorales qui rappellent les ailes d'un ange. Il vit la plus grande partie du temps sur le fond, attendant qu'un poisson ou qu'un mollusque passe à sa portée pour le saisir de ses mâchoires armées de petites dents pointues. Il lui arrive parfois de partir en chasse, godillant de la queue comme les autres requins. L'ange de mer est surtout actif entre crépuscule et aurore, parcourant jusqu'à neuf kilomètres chaque nuit. Treize espèces peuplent les eaux côtières dans le monde entier, jusqu'à des profondeurs de plus de mille mètres.

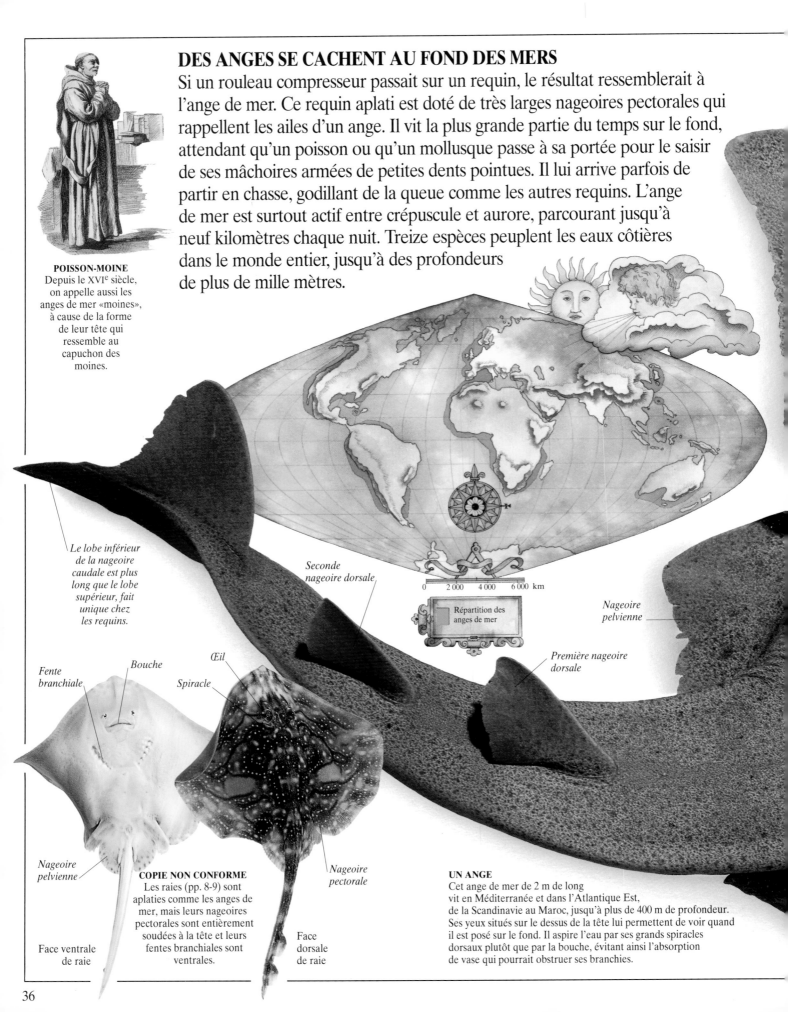

POISSON-MOINE
Depuis le XVIᵉ siècle, on appelle aussi les anges de mer «moines», à cause de la forme de leur tête qui ressemble au capuchon des moines.

Le lobe inférieur de la nageoire caudale est plus long que le lobe supérieur, fait unique chez les requins.

Seconde nageoire dorsale

0   2 000   4 000   6 000 km

Répartition des anges de mer

Nageoire pelvienne

Première nageoire dorsale

Fente branchiale

Bouche

Œil

Spiracle

Nageoire pelvienne

Nageoire pectorale

COPIE NON CONFORME
Les raies (pp. 8-9) sont aplaties comme les anges de mer, mais leurs nageoires pectorales sont entièrement soudées à la tête et leurs fentes branchiales sont ventrales.

Face ventrale de raie

Face dorsale de raie

UN ANGE
Cet ange de mer de 2 m de long vit en Méditerranée et dans l'Atlantique Est, de la Scandinavie au Maroc, jusqu'à plus de 400 m de profondeur. Ses yeux situés sur le dessus de la tête lui permettent de voir quand il est posé sur le fond. Il aspire l'eau par ses grands spiracles dorsaux plutôt que par la bouche, évitant ainsi l'absorption de vase qui pourrait obstruer ses branchies.

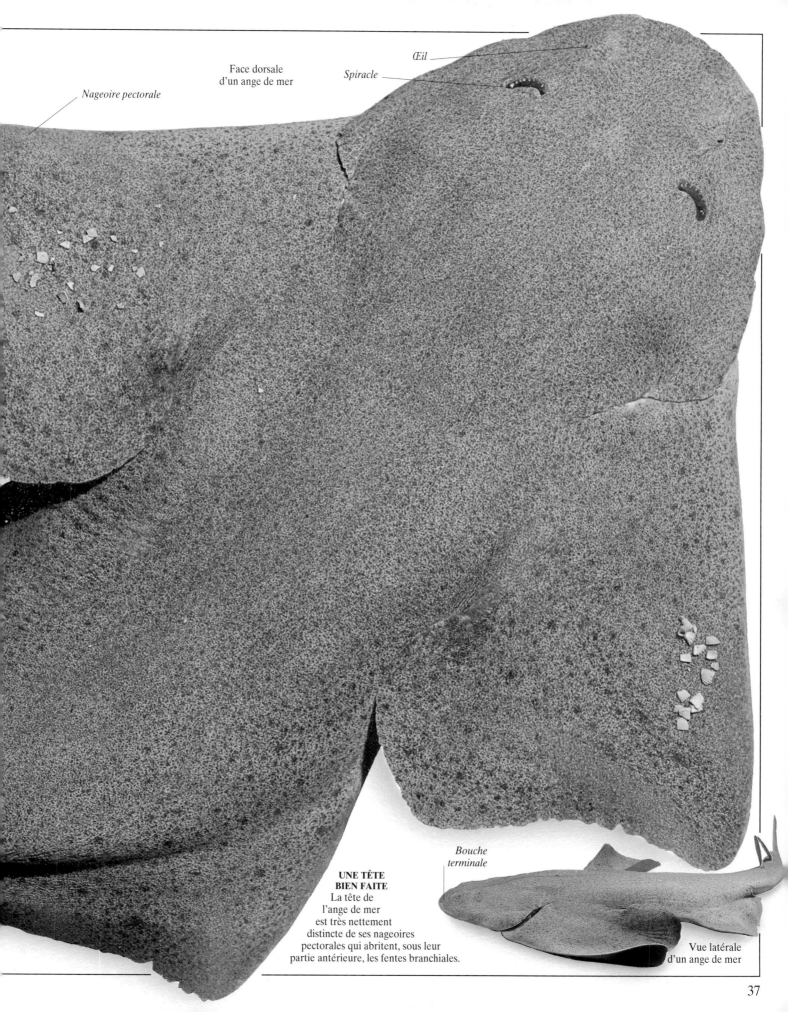

Nageoire pectorale

Face dorsale
d'un ange de mer

Œil

Spiracle

**UNE TÊTE
BIEN FAITE**
La tête de
l'ange de mer
est très nettement
distincte de ses nageoires
pectorales qui abritent, sous leur
partie antérieure, les fentes branchiales.

Bouche
terminale

Vue latérale
d'un ange de mer

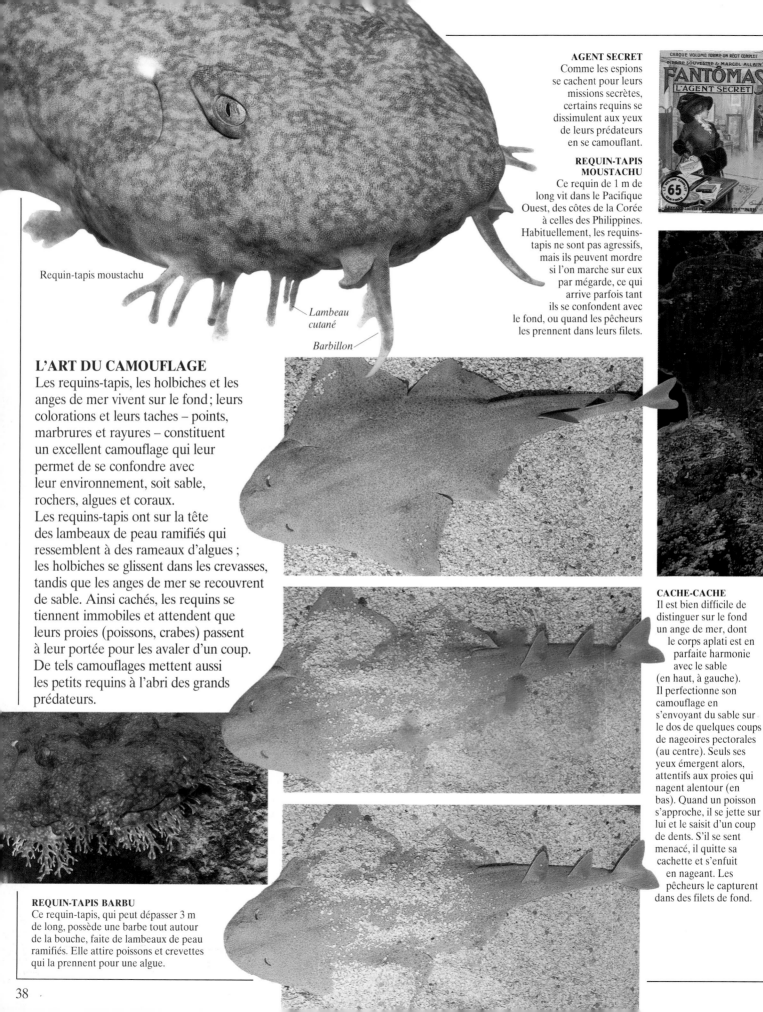

Requin-tapis moustachu

Lambeau cutané

Barbillon

AGENT SECRET
Comme les espions se cachent pour leurs missions secrètes, certains requins se dissimulent aux yeux de leurs prédateurs en se camouflant.

REQUIN-TAPIS MOUSTACHU
Ce requin de 1 m de long vit dans le Pacifique Ouest, des côtes de la Corée à celles des Philippines. Habituellement, les requins-tapis ne sont pas agressifs, mais ils peuvent mordre si l'on marche sur eux par mégarde, ce qui arrive parfois tant ils se confondent avec le fond, ou quand les pêcheurs les prennent dans leurs filets.

L'ART DU CAMOUFLAGE

Les requins-tapis, les holbiches et les anges de mer vivent sur le fond; leurs colorations et leurs taches – points, marbrures et rayures – constituent un excellent camouflage qui leur permet de se confondre avec leur environnement, soit sable, rochers, algues et coraux.
Les requins-tapis ont sur la tête des lambeaux de peau ramifiés qui ressemblent à des rameaux d'algues ; les holbiches se glissent dans les crevasses, tandis que les anges de mer se recouvrent de sable. Ainsi cachés, les requins se tiennent immobiles et attendent que leurs proies (poissons, crabes) passent à leur portée pour les avaler d'un coup. De tels camouflages mettent aussi les petits requins à l'abri des grands prédateurs.

CACHE-CACHE
Il est bien difficile de distinguer sur le fond un ange de mer, dont le corps aplati est en parfaite harmonie avec le sable (en haut, à gauche). Il perfectionne son camouflage en s'envoyant du sable sur le dos de quelques coups de nageoires pectorales (au centre). Seuls ses yeux émergent alors, attentifs aux proies qui nagent alentour (en bas). Quand un poisson s'approche, il se jette sur lui et le saisit d'un coup de dents. S'il se sent menacé, il quitte sa cachette et s'enfuit en nageant. Les pêcheurs le capturent dans des filets de fond.

REQUIN-TAPIS BARBU
Ce requin-tapis, qui peut dépasser 3 m de long, possède une barbe tout autour de la bouche, faite de lambeaux de peau ramifiés. Elle attire poissons et crevettes qui la prennent pour une algue.

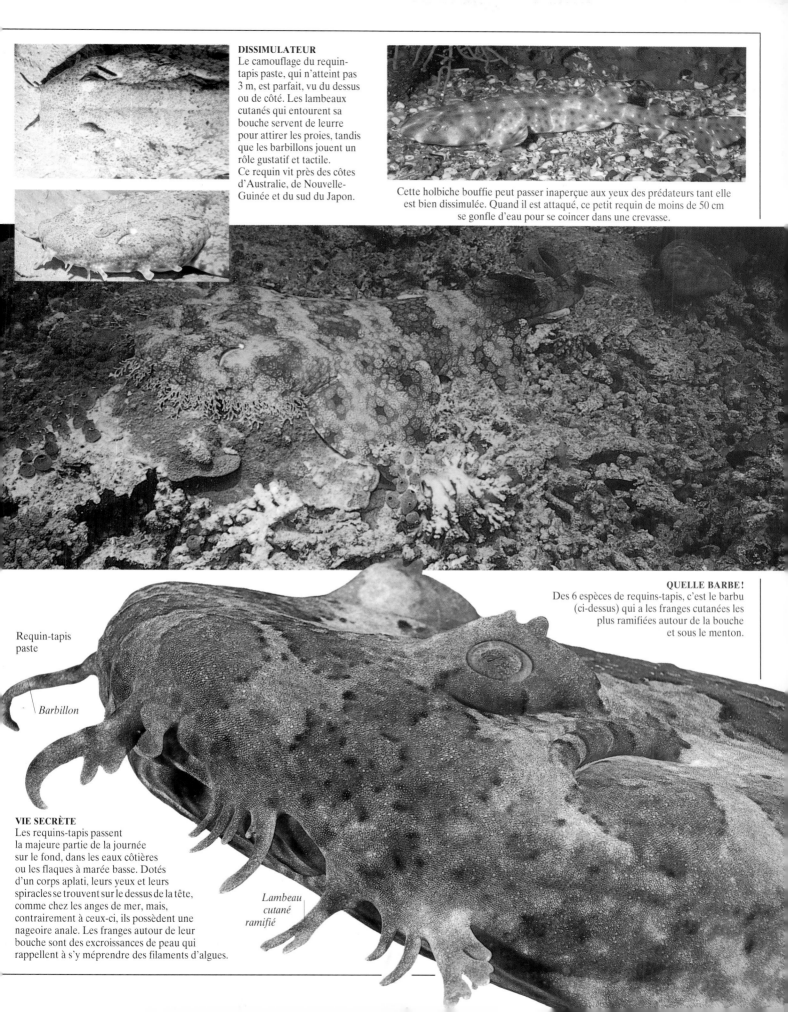

DISSIMULATEUR
Le camouflage du requin-tapis paste, qui n'atteint pas 3 m, est parfait, vu du dessus ou de côté. Les lambeaux cutanés qui entourent sa bouche servent de leurre pour attirer les proies, tandis que les barbillons jouent un rôle gustatif et tactile. Ce requin vit près des côtes d'Australie, de Nouvelle-Guinée et du sud du Japon.

Cette holbiche bouffie peut passer inaperçue aux yeux des prédateurs tant elle est bien dissimulée. Quand il est attaqué, ce petit requin de moins de 50 cm se gonfle d'eau pour se coincer dans une crevasse.

QUELLE BARBE!
Des 6 espèces de requins-tapis, c'est le barbu (ci-dessus) qui a les franges cutanées les plus ramifiées autour de la bouche et sous le menton.

Requin-tapis paste

Barbillon

VIE SECRÈTE
Les requins-tapis passent la majeure partie de la journée sur le fond, dans les eaux côtières ou les flaques à marée basse. Dotés d'un corps aplati, leurs yeux et leurs spiracles se trouvent sur le dessus de la tête, comme chez les anges de mer, mais, contrairement à ceux-ci, ils possèdent une nageoire anale. Les franges autour de leur bouche sont des excroissances de peau qui rappellent à s'y méprendre des filaments d'algues.

Lambeau cutané ramifié

NE RÉVEILLEZ PAS CEUX QUI DORMENT

Les requins dormeurs doivent leur nom anglais de requins-taureaux à leur tête large surmontée de deux cornes au-dessus des yeux. Ils sont pourvus d'épines dorsales, comme les centrines et les chiens de mer, mais ils s'en distinguent par la forme de leur tête et la présence d'une nageoire anale. Il y a huit espèces de requins dormeurs, tous de taille inférieure à un mètre cinquante. Dans les eaux peu profondes des océans Indien et Pacifique, ils nagent à faible allure avec des mouvements lents de la queue ou progressent sur le fond en s'aidant de leurs nageoires pectorales. Certains parcourent de longues distances, tels les requins de Port Jackson qui font 850 kilomètres pour rejoindre leur aire de ponte. Les plongeurs taquinent volontiers ces requins nonchalants en leur tirant la queue, ce qui peut les rendre agressifs : ils se retournent parfois pour mordre. Malheureusement, ces espèces sont chassées pour leurs épines, utilisées en joaillerie.

Même un cor ne troublerait pas ces requins à cornes.

Nageoire pelvienne

Deux requins de Port Jackson en train de nager

Epine de la première dorsale

Nageoire caudale

DORTOIR DES MERS
Pendant le jour, les requins de Port Jackson se regroupent sur les fonds marins pour se reposer. Ils recherchent les sols sableux des grottes ou les couloirs entre les rochers qui les protègent des courants. La nuit, ils deviennent actifs et partent en quête de nourriture, oursins et étoiles de mer.

Epine de la seconde nageoire dorsale

Coloration typique ponctuée de taches sombres

Œil

Requin dormeur cornu de Californie

Nageoire pelvienne

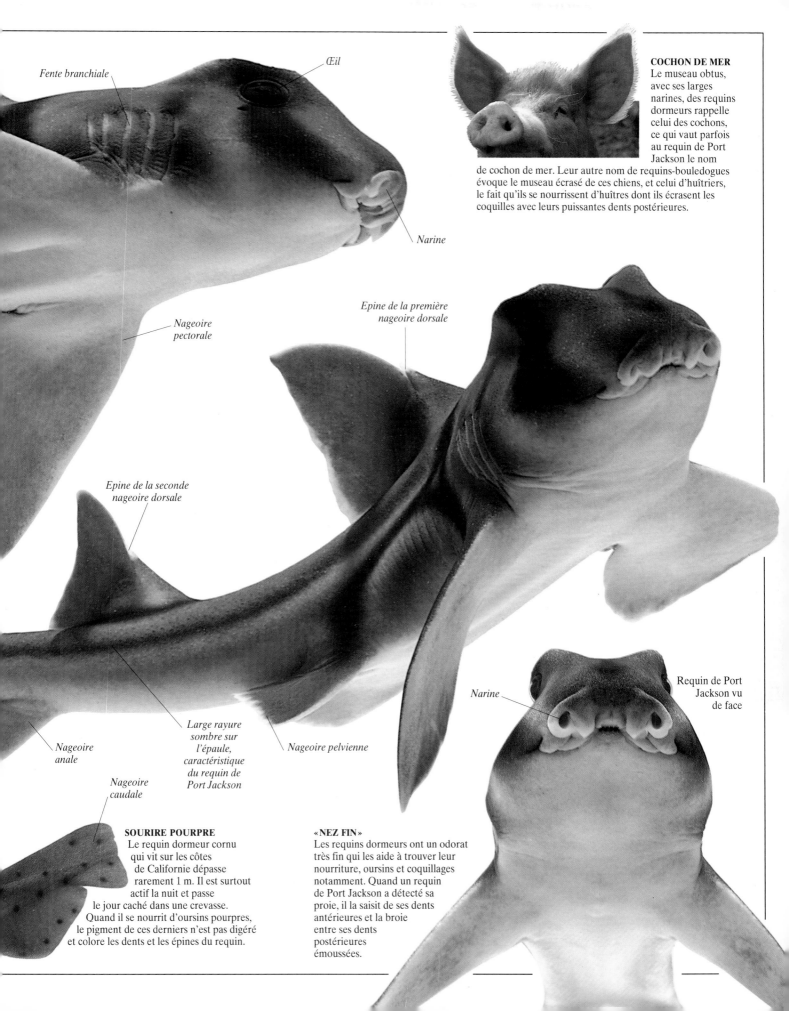

Fente branchiale

Œil

COCHON DE MER
Le museau obtus, avec ses larges narines, des requins dormeurs rappelle celui des cochons, ce qui vaut parfois au requin de Port Jackson le nom de cochon de mer. Leur autre nom de requins-bouledogues évoque le museau écrasé de ces chiens, et celui d'huîtriers, le fait qu'ils se nourrissent d'huîtres dont ils écrasent les coquilles avec leurs puissantes dents postérieures.

Narine

Nageoire pectorale

Epine de la première nageoire dorsale

Epine de la seconde nageoire dorsale

Large rayure sombre sur l'épaule, caractéristique du requin de Port Jackson

Nageoire pelvienne

Nageoire anale

Nageoire caudale

Narine

Requin de Port Jackson vu de face

SOURIRE POURPRE
Le requin dormeur cornu qui vit sur les côtes de Californie dépasse rarement 1 m. Il est surtout actif la nuit et passe le jour caché dans une crevasse. Quand il se nourrit d'oursins pourpres, le pigment de ces derniers n'est pas digéré et colore les dents et les épines du requin.

« NEZ FIN »
Les requins dormeurs ont un odorat très fin qui les aide à trouver leur nourriture, oursins et coquillages notamment. Quand un requin de Port Jackson a détecté sa proie, il la saisit de ses dents antérieures et la broie entre ses dents postérieures émoussées.

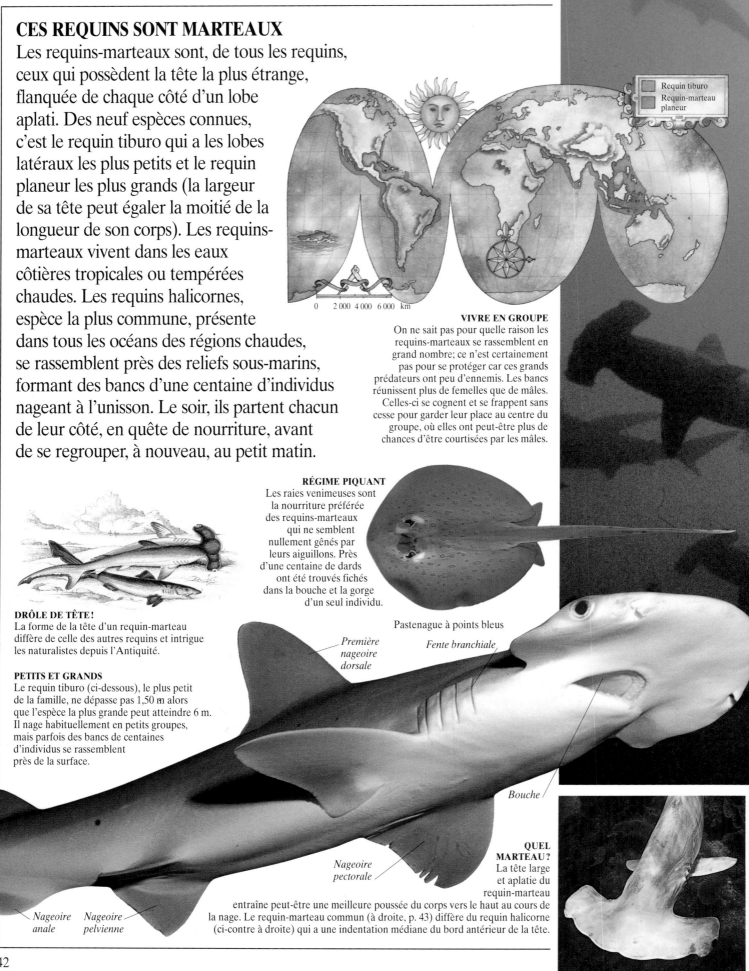

CES REQUINS SONT MARTEAUX

Les requins-marteaux sont, de tous les requins, ceux qui possèdent la tête la plus étrange, flanquée de chaque côté d'un lobe aplati. Des neuf espèces connues, c'est le requin tiburo qui a les lobes latéraux les plus petits et le requin planeur les plus grands (la largeur de sa tête peut égaler la moitié de la longueur de son corps). Les requins-marteaux vivent dans les eaux côtières tropicales ou tempérées chaudes. Les requins halicornes, espèce la plus commune, présente dans tous les océans des régions chaudes, se rassemblent près des reliefs sous-marins, formant des bancs d'une centaine d'individus nageant à l'unisson. Le soir, ils partent chacun de leur côté, en quête de nourriture, avant de se regrouper, à nouveau, au petit matin.

Requin tiburo
Requin-marteau planeur

0 2 000 4 000 6 000 km

VIVRE EN GROUPE
On ne sait pas pour quelle raison les requins-marteaux se rassemblent en grand nombre; ce n'est certainement pas pour se protéger car ces grands prédateurs ont peu d'ennemis. Les bancs réunissent plus de femelles que de mâles. Celles-ci se cognent et se frappent sans cesse pour garder leur place au centre du groupe, où elles ont peut-être plus de chances d'être courtisées par les mâles.

RÉGIME PIQUANT
Les raies venimeuses sont la nourriture préférée des requins-marteaux qui ne semblent nullement gênés par leurs aiguillons. Près d'une centaine de dards ont été trouvés fichés dans la bouche et la gorge d'un seul individu.

Pastenague à points bleus

DRÔLE DE TÊTE!
La forme de la tête d'un requin-marteau diffère de celle des autres requins et intrigue les naturalistes depuis l'Antiquité.

PETITS ET GRANDS
Le requin tiburo (ci-dessous), le plus petit de la famille, ne dépasse pas 1,50 m alors que l'espèce la plus grande peut atteindre 6 m. Il nage habituellement en petits groupes, mais parfois des bancs de centaines d'individus se rassemblent près de la surface.

Première nageoire dorsale

Fente branchiale

Bouche

Nageoire pectorale

Nageoire anale   *Nageoire pelvienne*

QUEL MARTEAU?
La tête large et aplatie du requin-marteau entraîne peut-être une meilleure poussée du corps vers le haut au cours de la nage. Le requin-marteau commun (à droite, p. 43) diffère du requin halicorne (ci-contre à droite) qui a une indentation médiane du bord antérieur de la tête.

POUR UNE MEILLEURE RÉCEPTION
Le requin-marteau nage en balançant la tête latéralement,
ce qui lui donne un champ de vision très large, ses yeux
étant situés à l'extrémité de chaque lobe. Ses narines
très éloignées l'une de l'autre favorisent
la localisation des odeurs. Sa tête
porte un grand nombre
d'ampoules de
Lorenzini qui
captent les courants
électriques faibles
produits par les proies.

Requin-marteau
halicorne

CERTAINS GARDENT LEURS MYSTÈRES

Le requin grande-gueule n'a été découvert qu'en 1976. Il est surprenant que ce géant, de plus de cinq mètres de long et de 680 kilogrammes, ait pu passer si longtemps inaperçu. Ces dernières années, on a capturé quatre nouveaux individus, dont un vivant au large de la Californie en 1990. Grâce à un émetteur radio (pp. 54-55) fixé sur ce requin, on sait qu'il passe sa journée à 135-150 mètres de profondeur où il se nourrit de krill. Le soir venu, il remonte jusqu'à douze mètres sous la surface pour suivre les déplacements de ces petits crustacés, avant de redescendre au lever du jour. Le requin-lutin, lui, a été découvert il y a près de cent ans, mais on connaît encore mal sa biologie. En revanche, un mystère a été éclairci ; on a en effet longtemps cherché le responsable des morsures circulaires sur la peau des baleines, des dauphins et des phoques : le coupable a pu être identifié, il s'agit du squalelet féroce. Qui sait si l'on ne trouvera pas encore d'autres requins dans l'immensité océane ?

Les petites dents du requin grande-gueule lui sont peu utiles puisqu'il se nourrit en filtrant le krill dans l'eau.

Lieux de capture du requin grande-gueule

QUELLE GUEULE !
Le requin grande-gueule porte bien son nom : son sourire fait 1 m de large. Ses lèvres luminescentes attirent le krill dans sa bouche. Le premier spécimen découvert s'est pris dans l'ancre d'un bateau américain, par 200 m de profondeur, au large d'Hawaii. Le deuxième a été piégé par un filet maillant au large de la Californie ; le troisième a été rejeté sur une plage du sud-ouest de l'Australie, près de Perth, et le quatrième retrouvé mort sur une côte du Japon. Le dernier, immobilisé dans un filet près des côtes californiennes, est le seul à avoir été trouvé vivant. Il a pu être étudié avant d'être relâché.

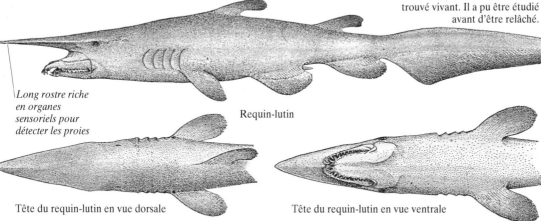

Long rostre riche en organes sensoriels pour détecter les proies

Requin-lutin

Tête du requin-lutin en vue dorsale

Tête du requin-lutin en vue ventrale

PREMIER PRIX DE LAIDEUR
Le requin-lutin (ci-dessus) a été découvert en 1898 au large du Japon. Son corps flasque peut mesurer jusqu'à 4 m de long. On sait peu de choses sur lui, sinon qu'il vit à plus de 1 600 m de profondeur.

LUEUR DANS LA NUIT
Le sagre-elfe est l'un des requins-lanternes qui vivent dans l'obscurité des abysses où brillent ses petits organes lumineux, disposés sur sa face ventrale en avant du cloaque. Ses 20 cm en font probablement le plus petit requin du monde.

Répartition des squalelets féroces

REQUIN VAMPIRE
Le squalelet féroce ne dépasse pas 50 cm. Avec ses dents, il déchire des morceaux de chair aussi bien sur les grands poissons que sur les baleines, les phoques ou les dauphins. Il se fixe par ses lèvres qui font ventouse puis arrache un morceau de chair circulaire ou en croissant. Il s'attaque également aux câbles sous-marins et aux radômes recouverts de caoutchouc des sonars des sous-marins.

DÉESSE DE LA LUMIÈRE
Le nom scientifique du squalelet féroce, *Isistius*, vient d'Isis, déesse égyptienne de la lumière. Ces petits requins ont en effet sur tout le ventre des organes lumineux qui émettent une lumière d'un vert brillant et attirent leurs proies (par exemple les baleines) assez près pour qu'ils les mordent.

BLESSURES
Les marques sanguinolentes de ce phoque sont dues aux morsures du squalelet féroce.

0   2 000   4 000   6 000 km

CES DIEUX INSPIRENT LES ARTISANS

SINGE OU REQUIN?
Cette tête de singe recouverte de pierres précieuses est un chef-d'œuvre des Aztèques du Mexique; ses dents sont celles d'un requin.

Depuis des siècles, dans le monde entier, les hommes ont capturé des requins pour fabriquer les objets les plus divers. Les dents de requin sont si acérées que les premiers hommes s'en servaient comme armes et outils. Leur peau est si dure qu'on en fait des chaussures, des poignées d'épées ou des étuis de poignards (pp. 60-61). Les hommes préhistoriques avaient le plus grand respect pour ces magnifiques prédateurs. Pêcher des requins avec des outils primitifs était difficile et dangereux, d'où les nombreuses histoires et légendes que se racontaient marins et insulaires. Sur quelques îles du Pacifique, on considérait même les requins comme des dieux auxquels on rendait hommage. En Europe, les requins sont longtemps restés méconnus et sont rarement évoqués dans les mythes; ils n'apparaissent guère que dans les livres d'histoire naturelle.

Dent à bords crénelés, probablement d'un grand requin blanc

BIJOUX DE LA COURONNE
Les 10 dents de ce collier appartenaient probablement à un grand requin blanc capturé au large de la Nouvelle-Zélande par les Maoris. De nos jours, les bijoux en dents de requins, destinés aux touristes, sont une des causes d'une pêche trop intensive.

Paire de chaussures de marin faite en peau de requin (Inde)

Peau de requin

Poids d'or en forme de requin (Ghana, Afrique de l'Ouest)

Jouet d'étain en forme de requin (Malaisie)

Dent de requin

Outil terminé par une dent de requin pour le tatouage des indigènes (îles Kiribati, Pacifique Ouest)

Tambour du XVIIIe siècle en bois sculpté recouvert de peau de requin (îles Hawaii, Pacifique Centre)

Râpe de bois recouverte de peau de requin (île de Santa Cruz, Pacifique Ouest)

Dent de requin

Peau de requin

Râpe recouverte de peau de requin (îles Wallis, Pacifique Sud)

Couteau en bois (à droite) dont le bord coupant est fait de dents de requins (Groenland)

Peau de requin

REQUIN ARTISAN
Depuis les temps les plus anciens, les peaux et les dents de requins ont servi à fabriquer un très grand nombre d'objets domestiques. Certaines peaux assez rugueuses sont utilisées comme râpes, et, si l'on en ôte les denticules, le cuir plus souple peut être travaillé pour faire des chaussures, des ceintures ou même des tambours (ci-dessus). Avec les dents on fabrique des couteaux, des bijoux ou des outils. D'autres objets, en forme de requin, témoignent de l'admiration portée à ces géants des mers.

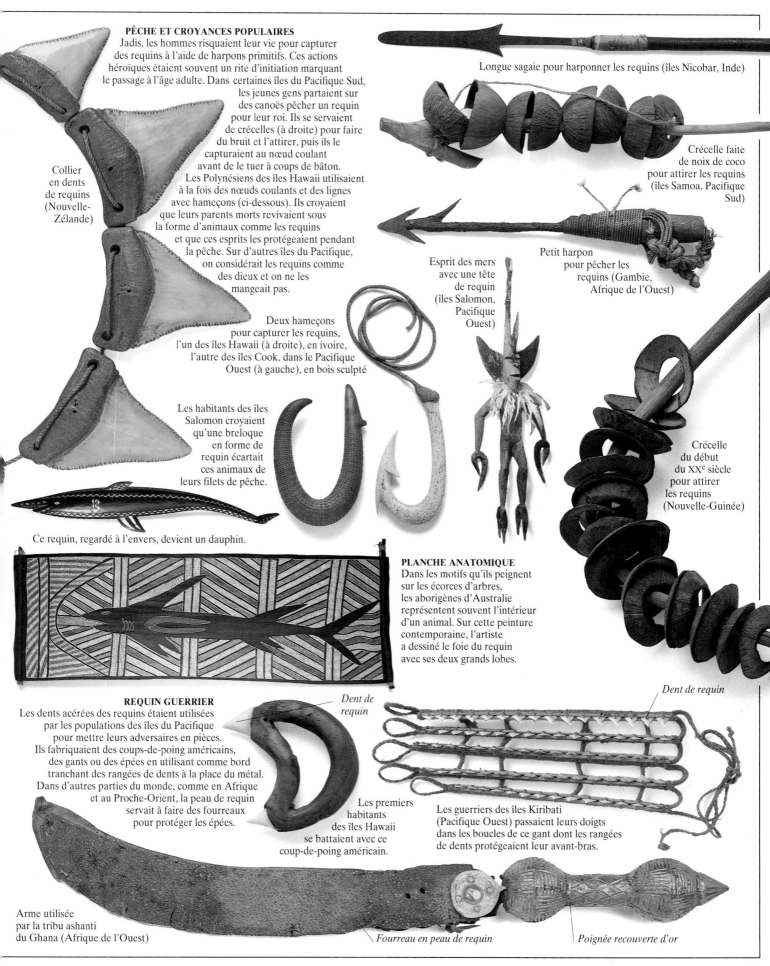

PÊCHE ET CROYANCES POPULAIRES

Jadis, les hommes risquaient leur vie pour capturer des requins à l'aide de harpons primitifs. Ces actions héroïques étaient souvent un rite d'initiation marquant le passage à l'âge adulte. Dans certaines îles du Pacifique Sud, les jeunes gens partaient sur des canoës pêcher un requin pour leur roi. Ils se servaient de crécelles (à droite) pour faire du bruit et l'attirer, puis ils le capturaient au nœud coulant avant de le tuer à coups de bâton. Les Polynésiens des îles Hawaii utilisaient à la fois des nœuds coulants et des lignes avec hameçons (ci-dessous). Ils croyaient que leurs parents morts revivaient sous la forme d'animaux comme les requins et que ces esprits les protégeaient pendant la pêche. Sur d'autres îles du Pacifique, on considérait les requins comme des dieux et on ne les mangeait pas.

Longue sagaie pour harponner les requins (îles Nicobar, Inde)

Crécelle faite de noix de coco pour attirer les requins (îles Samoa, Pacifique Sud)

Collier en dents de requins (Nouvelle-Zélande)

Esprit des mers avec une tête de requin (îles Salomon, Pacifique Ouest)

Petit harpon pour pêcher les requins (Gambie, Afrique de l'Ouest)

Deux hameçons pour capturer les requins, l'un des îles Hawaii (à droite), en ivoire, l'autre des îles Cook, dans le Pacifique Ouest (à gauche), en bois sculpté

Les habitants des îles Salomon croyaient qu'une breloque en forme de requin écartait ces animaux de leurs filets de pêche.

Crécelle du début du XXᵉ siècle pour attirer les requins (Nouvelle-Guinée)

Ce requin, regardé à l'envers, devient un dauphin.

PLANCHE ANATOMIQUE

Dans les motifs qu'ils peignent sur les écorces d'arbres, les aborigènes d'Australie représentent souvent l'intérieur d'un animal. Sur cette peinture contemporaine, l'artiste a dessiné le foie du requin avec ses deux grands lobes.

Dent de requin

REQUIN GUERRIER

Les dents acérées des requins étaient utilisées par les populations des îles du Pacifique pour mettre leurs adversaires en pièces. Ils fabriquaient des coups-de-poing américains, des gants ou des épées en utilisant comme bord tranchant des rangées de dents à la place du métal. Dans d'autres parties du monde, comme en Afrique et au Proche-Orient, la peau de requin servait à faire des fourreaux pour protéger les épées.

Dent de requin

Les premiers habitants des îles Hawaii se battaient avec ce coup-de-poing américain.

Les guerriers des îles Kiribati (Pacifique Ouest) passaient leurs doigts dans les boucles de ce gant dont les rangées de dents protégeaient leur avant-bras.

Arme utilisée par la tribu ashanti du Ghana (Afrique de l'Ouest)

Fourreau en peau de requin

Poignée recouverte d'or

QUAND L'HOMME EST ATTAQUÉ

La plupart des requins ne sont pas dangereux. On recense chaque année cinquante à soixante-quinze attaques, dont seulement cinq à dix sont mortelles. Elles se produisent quand le requin confond un nageur avec sa proie habituelle, un pied avec un poisson, ou quand il se sent menacé. Dans les zones où croisent les requins, il faut éviter de rester dans l'eau si elle est trouble, car les risques de méprise sont amplifiés, si l'on est blessé ou si l'on a posé des appâts pour pêcher, l'odeur du sang et la présence des poissons pouvant exciter l'appétit. Ne vous baignez jamais seul ou la nuit : vous seriez une proie idéale.

ÉVASION RISQUÉE
En 1906, des prisonniers évadés du bagne de l'île du Diable, au large de la Guyane, sont menacés par des requins.

OCÉAN PACIFIQUE

AMÉRIQUE DU NORD

New York · Boston

San Francisco
San Diego

FLORIDE

HAWAII

AMÉRIQUE DU SUD

AGRESSION SOURNOISE
L'éléphant de mer est la proie préférée du grand requin blanc sur les côtes californiennes. Ce requin mord sa victime par-derrière puis attend qu'elle perde son sang. Quand elle est suffisamment affaiblie, il l'achève. L'animal blessé peut en réchapper, s'il réussit à atteindre le rivage avant un nouvel assaut.

BAIGNADE FATALE
La majorité des accidents mortels ont lieu dans les zones où des requins, comme le grand requin blanc, nagent près de la côte; les victimes sont alors des baigneurs, des plongeurs ou des surfeurs. En pleine mer, les personnes qui risquent ces attaques sont les rescapés d'un naufrage ou d'un crash aérien.

Chaque année, en Australie, 92 personnes environ se noient au large des côtes...

... 8 personnes meurent d'accident en plongée...

... et moins d'une est victime d'un requin.

UNE STAR CRUELLE
Depuis le succès du film *les Dents de la mer*, le grand requin blanc jouit d'une réputation de tueur sanguinaire. Il s'en prend effectivement à l'homme, mais c'est peut-être parce qu'il se trompe sur la nature de sa proie. Il faut éviter les zones de reproduction des éléphants de mer et des otaries où il vient chasser.

ATTENTION : DANGER
Les requins attaquent souvent près des côtes, en eau peu profonde.

REQUIN-BOULEDOGUE
Le requin-bouledogue est, avec le grand requin blanc et le requin-tigre, l'un des requins les plus dangereux. Vivant dans les eaux chaudes, il est le seul à pénétrer souvent profondément dans les fleuves, comme l'Amazone en Amérique du Sud ou le Zambèze en Afrique. Avec ses 3 m, il est assez grand pour s'attaquer à un homme et, comme le requin-tigre, il avale n'importe quoi.

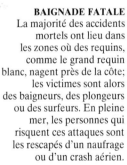

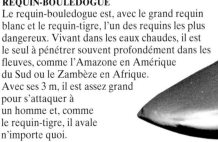

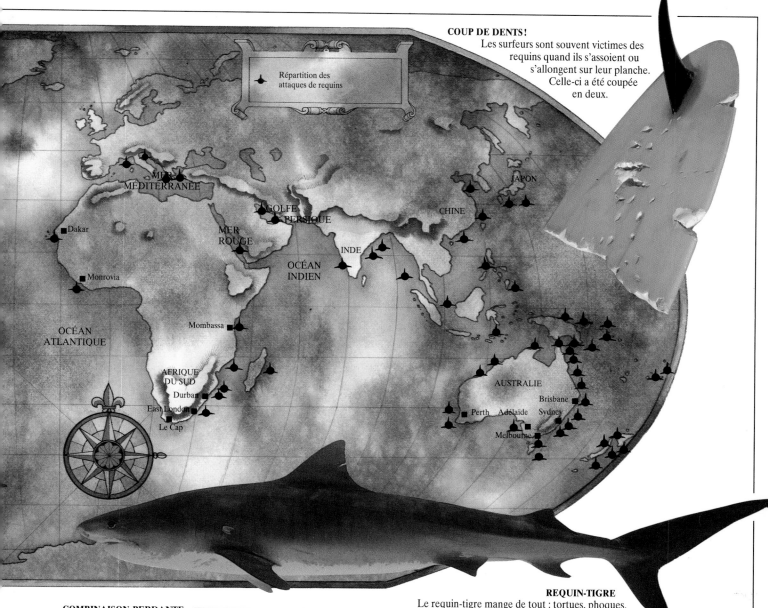

Les surfeurs sont souvent victimes des
requins quand ils s'assoient ou
s'allongent sur leur planche.
Celle-ci a été coupée
en deux.

Répartition des
attaques de requins

MER
MÉDITERRANÉE

JAPON

GOLFE
PERSIQUE

CHINE

Dakar

MER
ROUGE

INDE

Monrovia

OCÉAN
INDIEN

OCÉAN
ATLANTIQUE

Mombassa

AFRIQUE
DU SUD

AUSTRALIE

Durban

Brisbane

East London

Perth   Adélaïde   Sydney

Le Cap

Melbourne

COMBINAISON PERDANTE
Une combinaison de plongée ne protège
pas des requins, comme le prouve cette
expérience avec un mannequin. Les
attaques ont lieu quels que soient la
couleur ou les dessins du vêtement.

ERREUR D'IDENTIFICATION
Près des aires de reproduction des
phoques ou des otaries, les surfeurs sont
attaqués quand ils laissent pendre bras
ou jambes par-dessus bord. Les requins
les prennent pour leurs proies dont, vus
d'en dessous, ils imitent la silhouette.

REQUIN-TIGRE
Le requin-tigre mange de tout : tortues, phoques,
méduses, dauphins, oiseaux ou serpents marins, vieux
cordages et boîtes de conserve. Tout animal, l'homme
y compris, est un menu tentant.

NAGE PAISIBLE
Le requin dagsit, qui peut
atteindre 2,50 m, vit près
des récifs coralliens
des océans Indien
et Pacifique. Quand
il nage, il courbe
légèrement le dos et
ses nageoires pectorales
sont perpendiculaires
à son corps.

ATTAQUE IMMINENTE
Si un plongeur nage trop près
de lui ou le surprend, le
requin dagsit devient
menaçant, dos arqué
et nageoires
pectorales abaissées.
Il tourne autour du
plongeur en faisant
des huit et, si ce dernier
ne s'éloigne pas lentement,
il l'attaque.

SE BAIGNER À L'ABRI DES FILETS

Se baigner dans des eaux où maraudent des requins dangereux, c'est courir le risque d'être attaqué. Il n'y a pas de moyens simples pour écarter les requins des endroits appréciés des baigneurs ou des surfeurs. Les enclos de protection, du fait de leur coût élevé, ne sont installés que sur des zones restreintes. Le long des plages les plus fréquentées d'Afrique du Sud et d'Australie, on utilise des filets, mais ces derniers capturent et tuent, outre les requins dangereux, beaucoup d'espèces inoffensives, raies, tortues ou dauphins. Pour parer à cet inconvénient, on teste des barrières électriques qui pourraient s'opposer à l'entrée des requins et autres animaux sans les tuer. Les plongeurs se servent de bâtons à tête explosive, mais un bon gourdin suffit souvent pour éloigner un requin trop curieux. En dernier ressort, un coup de pied ou de poing dans l'œil ou dans les branchies constitue une parade efficace à un comportement agressif.

HAUTE SURVEILLANCE
Les sauveteurs australiens surveillent l'arrivée de requins près des plages, parfois en avion. Dès que des requins ont été repérés, la baignade est interdite. Il faut toujours observer les consignes des sauveteurs avant de se mettre à l'eau.

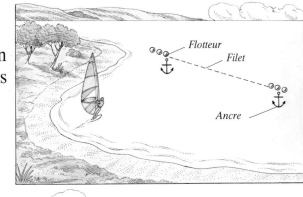

TOUCHÉ!
On hisse à bord un requin-tigre tué par une charge explosive.

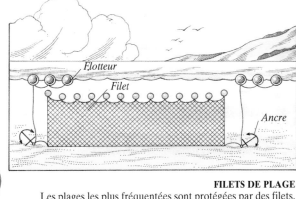

REQUIN OU BALEINE ?
La Bible relate l'histoire de Jonas avalé par une grande créature marine. Il s'agirait plutôt d'un requin que d'une baleine.

DANS LE SAC
Les grands sacs gonflables sont un moyen efficace de protéger les rescapés d'un naufrage ou d'un crash aérien. Les tests effectués par la Marine américaine ont montré que les requins n'attaquent pas ces sacs d'où ne dépasse aucun membre, et qui ne dégagent ni signaux électriques ni odeurs corporelles.

UN DE MOINS
On amène à terre un requin qui s'est pris dans un filet au large d'une plage. Dans les années 1930, en Australie, on a ainsi capturé 1 500 requins en 17 mois. Depuis, leur nombre a fortement diminué.

FILETS DE PLAGE
Les plages les plus fréquentées sont protégées par des filets. Comme ces derniers sont disposés en quinconce sur deux rangées parallèles, ils piègent les requins autant quand ils s'approchent du rivage que quand ils s'en éloignent. Lourdement lestés pour rester près du fond et munis de flotteurs, ils font environ 100 m de long sur 6 m de haut. Des bouées en surface permettent de les localiser. Débarrassés quotidiennement de leurs prises, les filets sont changés toutes les trois semaines; en effet, trop chargés d'algues et d'animaux divers, ils seraient facilement détectés par les requins. Les tempêtes peuvent également les endommager. Sur certaines plages, il ne faut se baigner qu'en présence de ces filets.

GRILLE MÉTALLIQUE
Cette grille métallique empêche les requins de s'approcher d'une plage en Australie, mais elle est si coûteuse qu'on ne peut protéger que quelques kilomètres de côte. On a également testé des répulsifs chimiques, mais ils sont inefficaces car rapidement dispersés par les vagues.

BARRIÈRE INVISIBLE
La forte sensibilité des requins aux champs électriques a permis de mettre au point une barrière invisible. En l'absence de courant électrique, ce requin-citron la franchit (en haut), mais, dès que le courant passe, il rebrousse chemin (à gauche). En milieu naturel, on a testé l'efficacité de câbles anti-requins enterrés dans le sable et produisant des impulsions électriques.

RIDEAU DE BULLES
Les rideaux de bulles d'air envoyées dans l'eau par un compresseur se sont révélés très peu efficaces; ils offrent une moins bonne protection que les filets, placés ici sur une plage australienne.

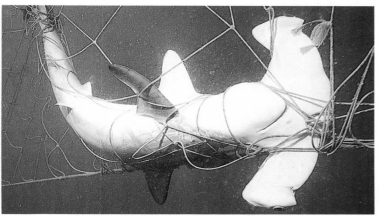

PIÈGES MORTELS
En Afrique du Sud, les filets qui protègent les plages tuent chaque année près de 1 400 requins, comme ce grand requin blanc (ci-dessus) ou ce requin-marteau (à gauche). Pris dans les mailles, ils ne peuvent nager et meurent étouffés, faute de pouvoir faire passer l'eau sur leurs branchies. Des méthodes de protection qui laisseraient vivre les requins seraient préférables.

RÉPULSIF CHIMIQUE
On a découvert qu'une sole de mer Rouge sécrète un répulsif anti-requin. Quand elle est attaquée, sa peau se couvre d'une substance laiteuse qui la fait aussitôt recracher par le requin.

DES PLONGEURS DERRIÈRE LES BARREAUX

Plonger près d'un grand requin peut être périlleux, aussi les photographes et cinéastes sous-marins utilisent-ils une cage métallique résistante pour se mettre à l'abri. De toute évidence, une personne sensée évitera de se trouver face à un grand requin blanc (pp. 28 à 31) sans la protection d'une cage. Pour les espèces plus petites et moins dangereuses, comme le peau bleue (pp. 56-57), les plongeurs portent parfois une cotte de mailles qui les préserve des morsures, mais non des contusions. Dans tous les cas, la cage n'est jamais très loin ; elle servira de refuge si les requins, excités par les appâts que l'on jette à l'eau pour les attirer, deviennent trop agressifs. Quand un plongeur photographie ou filme à l'extérieur de la cage, d'autres doivent surveiller ce qui échappe à son champ de vision. L'étude des répulsifs chimiques n'a pas encore donné de résultats satisfaisants.

TENUE DE PLONGÉE
Au début du XIXe siècle, les plongeurs portaient des casques ou des scaphandres et recevaient l'air par un tuyau relié à la surface. De nombreux récits évoquent leurs combats contre des pieuvres géantes.

1 IMMERSION DE LA CAGE
Quand le bateau arrive dans la zone où maraude un grand requin blanc, on répand le «chum» (p.29) dans l'eau et l'on immerge la cage.

2 ARRIVÉE DU GRAND REQUIN BLANC
On attend parfois plusieurs jours sa venue près de la cage maintenue en surface par des flotteurs. Le plongeur ferme la porte de la cage s'il voit que le requin s'en approche de trop près.

3 VU À TRAVERS LA CAGE
De la viande de cheval ou du thon sert d'appât. Les barreaux rapprochés empêchent le requin d'atteindre le plongeur, mais il arrive qu'il s'attaque à la cage ou au bateau.

COTTE DE MAILLES
La cinéaste Valerie Taylor teste l'efficacité d'une combinaison de plongée inspirée des cottes de mailles des chevaliers du Moyen Age. Ce vêtement est si lourd qu'il gêne les mouvements. Le peau bleue (à gauche) mord la manche de la combinaison qui a été frottée avec des morceaux de poissons. La situation deviendrait dangereuse si l'animal se coinçait une dent dans le vêtement, car il pourrait l'arracher en se débattant. Les bouchers (ci-dessus) utilisent des gants de la même matière pour se protéger quand ils préparent la viande.

PRISE DE VUE
Les cinéastes australiens Ron et Valerie Taylor sont célèbres pour leurs travaux sur les requins. Ron filme un requin-corail mordant un appât (ci-contre), tandis qu'un peau bleue s'approche de sa caméra (en bas).

4 PRÈS DU GRAND REQUIN BLANC
Les plongeurs peuvent être déséquilibrés en cas de choc violent. Les photos prises d'aussi près témoignent de l'aspect terrifiant de ces animaux.

SUR LA PISTE DES REQUINS

Les requins sont difficiles à observer dans leur milieu ; ils se déplacent sans cesse, nagent trop vite

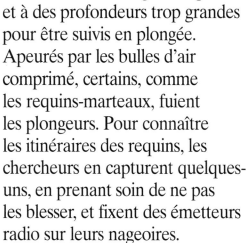

et à des profondeurs trop grandes pour être suivis en plongée. Apeurés par les bulles d'air comprimé, certains, comme les requins-marteaux, fuient les plongeurs. Pour connaître les itinéraires des requins, les chercheurs en capturent quelques-uns, en prenant soin de ne pas les blesser, et fixent des émetteurs radio sur leurs nageoires.

Ils repèrent ainsi aisément leurs déplacements grâce aux signaux radio. L'étude du comportement est complétée par des observations réalisées sur des individus conservés en aquarium.

LE «CHALLENGER»
Au XIXᵉ siècle, au cours de nombreuses campagnes de recherche dans les océans Atlantique, Pacifique et Indien, ce navire britannique a capturé les animaux marins les plus variés, dont des requins.

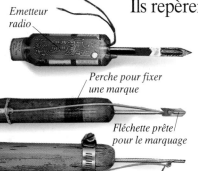

Emetteur radio

Perche pour fixer une marque

Fléchette prête pour le marquage

Adresse pour renvoyer l'étiquette

Le chercheur américain John McCosker sur la piste des requins

Appareil pour mesurer la vitesse de nage, fixé sur la nageoire dorsale d'un requin-taupe

REQUINS-CITRONS
Samuel Gruber, ichtyologiste américain, a étudié les requins-citrons aux Bahamas pendant plus de 10 ans. Ces requins se laissent manipuler et peuvent respirer sans nager, si bien qu'ils restent calmes pendant les observations. Dans cette expérience, on injecte une substance au requin afin d'étudier sa croissance. De jeunes requins sont marqués sur la nageoire dorsale pour permettre leur identification à chaque nouvelle capture.

DANS LE NEZ
Samuel Gruber mesure le flux d'eau qui traverse le sac olfactif d'un requin-nourrice. Il doit être prudent, car bien que ce requin soit réputé docile, il pourrait mordre sérieusement.

L'AMI DES ICHTYOLOGISTES
Le requin-citron est très facile à étudier, aussi bien en aquarium qu'en mer. Ici, un jeune spécimen se jette sur sa nourriture. Quand il mange, il secoue si vigoureusement la tête qu'il envoie un nuage de débris dans tout l'aquarium.

MARQUAGE D'UN REQUIN-TIGRE
Des ichtyologistes aux Bahamas marquent un petit requin-tigre (en haut). Après cette opération, il faut parfois ranimer l'animal en le poussant pour faire passer l'eau sur ses branchies, comme le fait le plongeur ci-dessus.

OBSERVER AU SEC
Pour étudier les profondeurs tout en restant au sec, le professeur Beebe, dans les années 1930, est descendu à 1 000 m à bord d'un bathyscaphe. On a pu appâter des requins jusqu'à 3 600 m de profondeur.

REQUIN À COLLERETTE
Le requin à collerette (ci-dessous) doit son nom au fait que les fentes branchiales de la première des six paires se rejoignent sous sa gorge.

Le *Challenger* a capturé 3 de ces requins vers 1870.

PÊCHÉS POUR LA BONNE CAUSE

Les pêcheurs participent à l'étude des migrations et de la croissance des requins en effectuant mesures, marquages et relâchages. Des dizaines de milliers de requins ont été marqués, depuis les années 1950, au large des côtes des États-Unis, d'Australie, d'Europe ou d'Afrique. Quand les pêcheurs capturent ces spécimens, ils récupèrent les marques. Un requin-hâ mâle, identifié en Australie en 1951, a été repris, trente-cinq ans plus tard, deux cent quatorze kilomètres plus loin ; il avait grandi de dix-sept centimètres. Deux peaux bleues, grands coursiers des mers, l'un capturé à New York, l'autre en Cornouailles, sont réapparus seize mois plus tard au large du Brésil, soit à six mille et sept mille kilomètres du lieu de marquage.

Attestation de capture et fiche d'identification d'un requin

Stylets pour fixer des marques en nylon ou en plastique

Etiquette

Adresse de renvoi

Etiquette

Pointe pour percer la peau

Lieux de marquage et de recapture de peaux bleues

Sud-ouest de l'Angleterre

Afrique occidentale

Côte Est des Etats-Unis

0 1 000 2 000 3 000 km

BAGUAGE DES OISEAUX
On fixe des bagues aux pattes des jeunes oiseaux pour voir s'ils ont une connaissance innée de leur itinéraire.

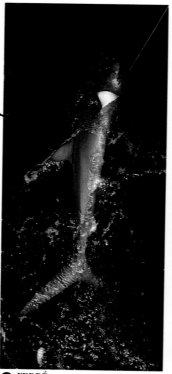

1 APPÂTÉ
Comme la plupart des requins, les peaux bleues ont l'odorat très fin ; ils sont attirés près des bateaux avec des filets pleins de saumons avariés dont l'huile se répand à la surface de la mer. Des maquereaux frais fixés aux hameçons servent d'appât sur des lignes lancées à des profondeurs de 12 à 18 m.

2 FERRÉ
Attiré par l'huile et le sang, le peau bleue a mordu à l'hameçon.

3 REMONTÉ
Le marin tire le requin près du bateau avec grand soin pour ne pas le blesser.

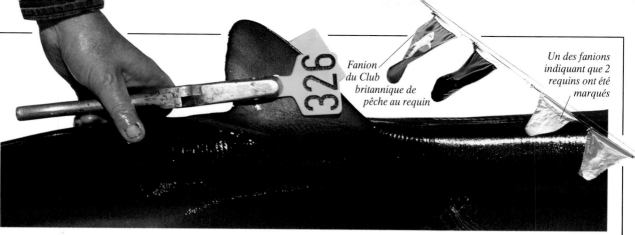

MARQUAGE À LA NAGEOIRE DORSALE
La marque est fixée par un rivet en métal résistant à l'eau de mer pour éviter la perte de l'étiquette en plastique. Celle-ci porte au revers l'adresse des instituts ou des centres d'études où elle doit être envoyée après recapture.

Fanion du Club britannique de pêche au requin

Un des fanions indiquant que 2 requins ont été marqués

6 **LIBÉRÉ**
En le tenant par la queue, le marin relâche le requin dans l'eau. Aussitôt l'animal s'éloigne de toute la force de ses muscles. Il sera peut-être recapturé plus tard.

5 **MARQUÉ**
Cette femelle peau bleue mesure 1,50 m et pèse 22,5 kg. Le marin la maintient fermement pour la marquer. Comme un requin ne peut rester à l'air que quelques minutes (ses branchies doivent être baignées en permanence par l'eau pour en extraire l'oxygène), il doit se hâter de fixer la marque à sa nageoire dorsale et lui lancer des seaux d'eau pendant toute l'opération. On peut aussi marquer l'animal dans l'eau, grâce à une longue perche, sans avoir à le hisser à bord.

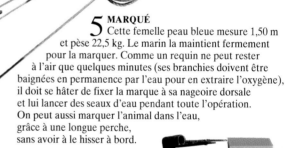

4 **AGITÉ**
Il hisse, non sans mal, le requin qui se débat avec vigueur.

REQUIEM POUR UN REQUIN

L'homme tue les requins pour leur chair, leur peau, leurs nageoires ou l'huile de leur foie. Même si la pêche sportive en prélève un grand nombre, c'est la surexploitation de la pêche commerciale qui représente la menace la plus sérieuse. Les requins sont aussi piégés par les systèmes de protection des plages ou par les palangres et les filets destinés à d'autres poissons. Dans ce cas, les pêcheurs découpent parfois leurs nageoires avant de rejeter les animaux morts à la mer. Comparés aux poissons osseux, les requins ont un taux de reproduction plus faible et atteignent plus tard l'âge de la maturité sexuelle. Leurs populations risquent de ne pouvoir se reconstituer.

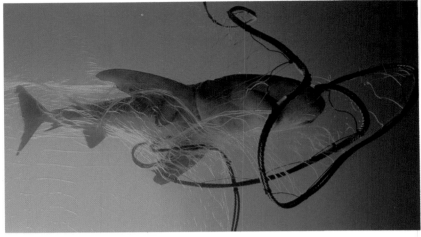

PÊCHEUR RECONVERTI
La pêche à la ligne est un sport populaire et les requins, rapides et puissants, constituent de belles prises. Les sociétés de pêche ont maintenant pris conscience des problèmes de protection et certaines ont limité la taille des requins pouvant être capturés.
Les pêcheurs sont de plus en plus encouragés à marquer et à relâcher les requins plutôt que de les tuer.

LE MUR DE LA MORT
Les filets dérivants mesurent jusqu'à 15 m de haut et plusieurs kilomètres de long. Leurs fines mailles les rendent pratiquement invisibles et piègent les poissons. Les requins, comme ce requin-corail (ci-dessus), en sont aussi victimes, au même titre que les oiseaux de mer, les tortues ou les dauphins.

PRÉDATEUR À PRÉSERVER
Pour de nombreux pêcheurs sportifs, le grand requin blanc (ci-dessus) est le plus beau trophée. Parce qu'il fait peur, on le tue volontiers. Pourtant, en tant que grand prédateur, il joue un rôle important dans l'équilibre naturel des océans. Sa pêche est interdite en Afrique du Sud et il est protégé en Australie.

SPORT OU MASSACRE ?
Ce pêcheur a décoré son bateau d'une collection de mâchoires de ses victimes.

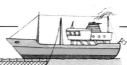

CHASSE AU REQUIN-RENARD
On pêche les requins-renards
en grand nombre aux palangres ou
aux filets maillants, dans les océans Indien
et Pacifique. Ils sont parfois victimes de
leur longue nageoire caudale qui se
prend facilement dans les palangres.
Leurs coups de queue cinglants rendent
leur manipulation dangereuse.

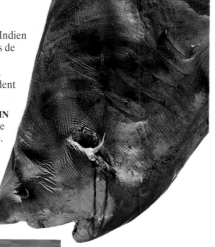

TRISTE FIN POUR UN REQUIN
Ce requin-tigre a été tué lors d'une
compétition de pêche en Floride.
Le nombre de grands requins
prédateurs, comme le grand requin
blanc et le requin-tigre (pp. 48-49),
a fortement diminué près de
certaines stations côtières, sans
doute à la suite de trop
nombreuses captures.

BONS À MANGER
Pour les
populations
de certains pays
pauvres, comme
ici en Asie, la
viande de requin est
la seule source de
protéines. Ailleurs,
on consomme
le requin comme
nourriture de luxe
dans les restaurants.
Que les requins figurent
à notre menu ou non, il est
important de réglementer
leur pêche si l'on ne veut pas
voir disparaître ces
fascinantes
créatures.

Dépeçage d'un requin

NAGEOIRES SÉCHÉES
En Chine, les nageoires
de requin entrent dans
la composition de spécialités,
comme la soupe d'ailerons.
La commercialisation
de ces nageoires séchées est plus facile que celle de
la viande qui doit être vendue fraîche ou traitée.

MOURIR POUR SES AILERONS
Ces pêcheurs japonais du Pacifique
découpent les nageoires de requins pris
dans des filets dérivants et rejettent
le reste à la mer. Les animaux encore
vivants mettent longtemps à mourir :
sans leurs nageoires, ils ne peuvent
s'enfuir et sont dépecés par d'autres
requins. De nombreuses espèces sont
victimes de cette pratique.

Ailerons
mis à
sécher

CE POISSON EST TROP BON

Triste privilège, presque toutes les parties du corps du requin sont utiles à l'homme. Les peaux sont tannées, les dents utilisées en bijouterie, les mâchoires vendues comme souvenirs, la carcasse transformée en engrais et l'huile du foie en produits cosmétiques et pharmaceutiques. Enfin, la chair est consommée et les nageoires, ou ailerons, servent d'ingrédients dans une soupe.

DENT POUR DENT
Ces pendentifs sont des dents de grand requin blanc. Certaines personnes s'imaginent que le fait de les porter leur donne un air invincible.

Cette exploitation abusive des requins, comme celle de tout autre animal sauvage, peut en diminuer dangereusement les populations, si le nombre d'animaux tués est supérieur à celui des naissances et des jeunes qui atteignent l'âge adulte. Ceci est particulièrement vrai pour les requins, qui ont un faible taux de reproduction. Connaissant encore mal leur biologie, il est difficile de fixer des quotas de capture. La seule solution consiste à utiliser moins de produits dérivés des requins ; leur disparition provoquerait en effet un véritable désastre écologique pour l'équilibre naturel des océans.

NAPOLÉON ET LE REQUIN
Les marins craignent les requins. Sur le bateau qui l'emmène en exil à Sainte-Hélène, dans l'Atlantique Sud, l'empereur Napoléon Ier (1769-1821) observe un requin qu'on vient de tuer.

UNE BONNE PRISE
Le cuir de requin qui recouvre la poignée de cette épée assure une bonne prise.

Même ensanglantée, cette poignée peut encore être tenue fermement.

Sur la poignée de cette épée d'officier de l'Artillerie royale britannique, la peau de requin est teinte en noir.

Sous la gaine noire se trouve de la peau brute de raie.

UN REQUIN DANS LA BATAILLE
La poignée de ce sabre de samouraï du XIXe siècle est habillée de la peau brute d'un requin, tandis que sa garde est faite d'une peau de raie, polie et laquée (pp. 8-9).

Poignée en ivoire sculpté

Fourreau recouvert d'une peau de raie laquée

RAIE PERSANE
Le fourreau de ce poignard persan du XIXe siècle est recouvert de peau de raie laquée à motif floral.

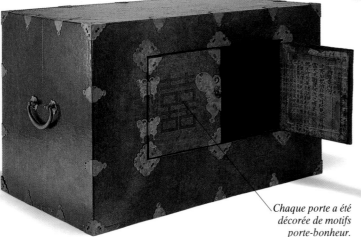

Chaque porte a été décorée de motifs porte-bonheur.

COFFRET PRÉCIEUX
Une belle peau de requin, ou galuchat, tapisse ce coffret rectangulaire coréen du XXe siècle. Débarrassé des denticules cutanés par polissage, le cuir souple est laqué et teinté en vert foncé. Le chagrin, peau de requin brute et rugueuse, sert d'abrasif pour polir le bois, comme le papier de verre.

TRISTES RESTES
Ces deux requins-marteaux (pp. 42-43) ont été capturés au large de la Basse-Californie au Mexique. Dans cette région pauvre, on a probablement mangé leur viande et pris leur peau pour fabriquer des ceintures ou des porte-monnaie.

REQUIN-FRITES

Le poisson servi le plus souvent en Angleterre dans les *fish and chips* (restauration rapide servant des poissons frits et des frites) est de l'aiguillat, un des petits requins les plus communs et les plus pêchés. La viande de requin est souvent vendue sous un autre nom, telle la saumonette, qui n'est autre que la roussette. Jadis, on refusait de manger ces animaux, sous prétexte qu'ils se nourrissaient du corps des marins morts en mer. Aujourd'hui, les steaks de requin sont devenus des plats de luxe dans certains restaurants.

Peau polie et laquée de raie

MÂCHOIRES À VENDRE

On tue de nombreux requins, comme le grand blanc (pp. 28 à 31), pour vendre à des prix élevés leurs mâchoires aux touristes. La commercialisation de tels objets est aujourd'hui interdite en Afrique du Sud.

PERDRE LA TÊTE

De ce requin capturé pour le sport on n'a gardé que la tête pour en prélever les mâchoires. Ce sont des trophées très populaires, au même titre que les massacres de cerfs.

MÉDECIN MALGRÉ LUI

Dans certains pays, l'huile de foie de requin est réputée guérir toutes sortes de maladies. Elle contient en effet diverses substances, comme la vitamine A, que l'on produit maintenant par synthèse.

Deux bols et une boîte d'une fameuse spécialité orientale : la soupe d'ailerons de requin

Pilules de foie de requin

L'ART D'ACCOMMODER LES REQUINS

Les nageoires de requin servent à préparer une soupe appréciée des Orientaux. On trempe et on fait bouillir à plusieurs reprises les nageoires séchées pour en extraire les fibres gélatineuses, auxquelles on ajoute d'autres ingrédients pour donner à la soupe son goût délicat.

COSMÉTIQUES

En cosmétologie, l'huile de requin sert à fabriquer des crèmes très coûteuses qui retardent l'apparition des rides. Mais les crèmes à base d'huiles végétales sont tout aussi efficaces.

RENDEZ-VOUS À L'AQUARIUM

Les requins sont victimes de leur réputation de tueurs assoiffés de sang. En fait, quelques espèces seulement sont dangereuses (pp. 48-49) et elles attaquent rarement l'homme. Les tigres, prédateurs aussi redoutables, suscitent moins de crainte, peut-être parce qu'ils ressemblent à de gros chats. Aujourd'hui, les requins sont de plus en plus menacés par la pêche commerciale (pp. 58-59). Quelques espèces, comme les requins-citrons en Floride, se raréfient avec la disparition de la mangrove où se développent les jeunes. Pour aimer les requins et avoir envie de les défendre, il faut apprendre à les connaître, notamment en visitant un aquarium où l'on peut admirer leur grâce et leur beauté.

Les bons nageurs peuvent s'entraîner à la plongée autonome pour les observer dans leur milieu naturel et bénéficier de circuits touristiques, comme ceux qui sont organisés, par exemple, en Californie.

FOU DE REQUIN
Cette curieuse sculpture d'un peau bleue sur le toit d'une maison montre jusqu'où peut aller l'amour des requins.

Dessins des diverses espèces de requins en aquarium

TROUBLANT TÊTE-À-TÊTE
Quel frisson de voir un requin à quelques centimètres de son nez, même si l'on en est séparé par une cloison de verre! Mais tous les requins ne s'adaptent pas à la vie en aquarium. Les peaux bleues et les requins-taupes, qui parcourent de grandes distances en nageant rapidement, n'y auraient pas assez d'espace. Un grand requin blanc, désorienté et se cognant sans cesse aux parois, a dû être relâché au bout de quelques jours de captivité. Les aiguillats ou les requins-nourrices, qui reposent sur le fond et n'ont pas besoin de nager sans cesse, sont ceux qui s'acclimatent le mieux en aquarium.

Face-à-face avec un requin et l'heure du repas dans un aquarium

Requin-taureau

Requin-corail

Roussette

REPORTAGE

Photographier un requin en aquarium est une première approche intéressante de cet animal. S'il nage sans cesse il sera difficile à saisir, mais la persévérance paie. Il faut utiliser un film sensible car l'éclairage est faible, tenir l'appareil contre la paroi pour éviter les reflets, attendre d'avoir l'animal entier dans son champ de vision, et… se dépêcher de prendre la photo avant que le requin reparte!

Photos prises en aquarium

POUR EN SAVOIR PLUS

Pour qui veut s'intéresser aux requins, les sources d'information sont nombreuses : articles de journaux, livres, mais aussi émissions de télévision scientifiques qui, contrairement au film *les Dents de la mer*, donnent sur ces animaux des renseignements exacts. On peut également contacter une organisation de protection de la nature qui se consacre à la vie marine (par exemple l'association Colimpha, qui regroupe plongeurs et biologistes), et même se porter volontaire pour aider les biologistes marins dans leurs programmes de recherche. Il y a encore tant à découvrir sur les requins!

Croquis d'un requin vrai au profil hydrodynamique, capable de manœuvres complexes pour poursuivre ses proies

Noter ses observations permet de constituer un intéressant fichier d'informations.

Requin-taupe typique, au corps plus robuste que celui d'un requin vrai

REQUINS FICHÉS

Pendant la visite d'un aquarium, noter ses remarques sur un carnet, dessiner les requins, d'après nature ou photographie, comparer les couleurs, les dessins de leur peau, la forme de leurs dents, tout cela permet de prendre conscience de la grande variété des requins. Ces renseignements peuvent être répertoriés sur des fiches, où figureront, pour chaque espèce, la taille, le régime alimentaire, l'habitat naturel ainsi que le croquis de la silhouette avec l'emplacement des nageoires, des fentes branchiales, des yeux et de la bouche.

Pastels

Crayons de couleur

INDEX

NOTES

Dorling Kindersley tient à remercier :
Alan Hills, John Williams, et Mike Row du British Museum, Harry Taylor et Tim Parmenter du Natural History Museum, Michael Dent, et Michael Pitts (Hong Kong) pour les photographies supplémentaires; l'équipe des Sea Life Centres (G.-B.) et tout particulièrement Robin James et Ed Speight (Weymouth), Rod Haynes (Blackpool), David Bird (Poole Aquarium), et Ocean Park Aquarium (Hong Kong), pour nous avoir fourni des spécimens à photographier et des renseignements sur les espèces; l'équipe du British Museum, Museum of Mankind, le Natural History Museum, tout particulièrement Oliver Crimmen du Fish Dept, la Marine Biological Association (G.-B.), la Marine Conservation Society (G.-B.), Sarah Fowler du Nature Conservation Bureau (G.-B.), le Sydney Aquarium (Darling Harbour, Australie), John West du Aust. Shark Attack File (Taronga Zoo, Australie), George Burgess du International Shark Attack File (Florida Museum of Natural History, Etats-Unis), Peter Klimley (University of California, Etats-Unis), et Rolf Williams pour leur recherche et leur aide; Djutja Djutja Munuygurr, artiste Djapu, 1983/1984, pour la peinture sur écorce. John Reynolds et le Ganesha (Cornouailles) pour les pages sur le marquage; Oliver Denton et Carly Nicolls qui ont servi de modèles pour les photographies; Peter Bailey, Katie Davis (Australie), Muffy Dodson (Hong Kong), Chris Howson, Earl Neish, Manisha Patel et Helena Spiteri pour leur assistance éditoriale et artistique. Jane Parker pour l'index.

Les éditions Gallimard remercient François Cazenave pour sa collaboration éditoriale.

ICONOGRAPHIE

h = haut, b = bas, c = centre, g = gauche, d = droit

Ardea : Mark Heiches 52bg; D. Parer & E. Parer-Cook 19hc; Peter Sleyn 8b, 30bc; Ron et Valerie Taylor 7bd, 38bg, 40cg, 41hd, 49ch, 52h, 52bc, 53hd, 53h, 53cd; Valerie Taylor 19bg, 31, 51c, 51bg, 60hd; Wardene Weisser 8c. Aviation Picture Library/Austin J. Brown 35bd. Le British Museum/Museum of Mankind : 46hg. Bridgeman : Le Prado (Madrid), The Tooth Extractor de Theodor Rombouts (1597-1637), 32bg; collection particulière, The Little Mermaid de E. S. Hardy, 21hg. Capricorn Press Pty : 56hg, 56hd. J. Allan Cash : 27bd, 50hd, 51hgb. Bruce Coleman Ltd : 59c. Neville Coleman Underwater Geographic Photo Agency : 20cd, 44bg, 61cd. Ben Cropp (Australie) : 50ch, 50b. C. M. Dixon: 47cd. Dorling Kindersley: Colin Keates 25hd, 32bd; Kim Taylor 21hg; Jerry Young, 9cd, 42cd. Richard Ellis (Etats-Unis) : 17d. Eric Le Feuvre (Etats-Unis) : 20bd. Eric et David Hoskings : 56cg. Frank Lane Picture Agency : 30bd. Perry Gilbert (Etats-Unis) : 51hd, 51hdb. Peter Goadby (Australie) : 28h. Greenpeace : 58hd, 59bd. T. Britt Griswold : 44b.Tom Haight (Etats-Unis) : 45h. Sonia Halliday et Laura Lushington : 50hg. Robert Harding Picture Library : 18hd. Edward S. Hodgson (Etats-Unis) : 60gb, 61gb. The Hulton Picture Company : 34hg, 42cg. Hunterian Museum, The University (Glasgow) : 13c. The Image Bank/Guido Alberto Rossi : 30h. Intervideo Television Clip Entertainment Group Ltd : 6h. F. Jack Jackson : 49cd, 49bd. C. Scott Johnson (Etats-Unis) : 50cb Stephane Korb (France) : 58cd, 58b. William MacQuitty International Collection : 45bc. Mary Evans Picture Library : 10h, 36h, 38h, 40h, 48hg, 52hg, 55bd, 60hg. National Museum of Natural History, Smithsonian Institution (Washington, DC) : Photo Chip Clark 13d. NHPA : Joe B. Blossom 23cd; John Shaw 23hg; ANT/Kelvin Aitken 48cd. National Marine Fisheries Service : H. Wes Pratt 54ch, 59hg; Greg Skomal 54bg; Charles Stillwell 23hc, 23hd. Ocean Images : Rosemary Chastney 28b, 29b, 29c, 54cg; Walt Clayton 15bd, 49cg; Al Giddings 15cd, 45bd, 48cg, 49bg, 53bg; Charles Nicklin 29bd; Doc White 20cg, 20bcg. Oxford Scientific Films : Fred Bavendam 25cg, 39b; Tony Crabtree 34b, 35h; Jack Dermid 25cd; Max Gibbs 27cbd; Rudie Kuiter 43g; Godfrey Merlen 43bd; Peter Porks 35c; Kim Westerskov 49hd; Norbert Wu 45cd. Planet Earth Pictures : Richard Cook 59bg; Walter Deas 24bc, 39c, 48bg; Daniel W. Gotsholl 30cg; Jack Johnson 51bd; A. Kerstitch 21cd, 21bc, 21b; Ken Lucas 20hd, 24cd, 39hd, 42bg; Krov Menhuin 27bg; D. Murrel 32h; Doug Perrine 23bd, 25h, 26bcd, 54bd, 55hd, 55cd; Christian Petron 42bd; Brian Pitkin 24hg; Flip Schulke 30hg; Marty Snyderman 20bg, 27h, 42h, 43h, 54cd; James P. Watt 32h, 32b, 33h, 33h; Marc Webber 30bg; Norbert Wu 26c, 48bd. Avec la permission des Sea Life Centres (G.-B.) : 62bg. Shark Angling Club de Grande-Bretagne : 58cg. Avec la permission du Sydney Aquarium (Darling Harbour, Australie) : 62bd. Werner Forman Archive/ Museum of Mankind : 47cg. Avec la permission de Wilkinson Sword : 60cg. Rolf Williams : 16hg, 18cd (série de six photographies), 59hd, 61hd. Cartes : Sallie Alane Reason Illustrations : John Woodcock